Les vrais besoins de votre bébé

Ouvrage publié sous la direction de Catherine Meyer.

Les Arènes
27 rue Jacob, 75006 Paris
Tél. : 01 42 17 47 80
arenes@arenes.fr

Les Vrais Besoins de votre bébé se prolonge sur www.arenes.fr

Dr Bernadette Lavollay

Les vrais besoins de votre bébé

Les découvertes qui révolutionnent la naissance et les premiers mois

les arènes

À Jean-Max, mon mari,
à mes enfants : Anne-Sophie,
Marie, Jean, Hugues,
à mes petits-enfants :
Gauthier, Cyprien, Florentine
Louise, Marc, Antoine, Vincent,
Jeanne…

Introduction

*« Quand les médecins se mettent
à donner des conseils, ils s'engagent
sur une voie dangereuse car
la mère et le bébé ont moins besoin
de conseils que d'un environnement
qui encourage la mère
à avoir confiance en elle. »*

DONALD W. WINNICOTT

Lorsqu'il quitte la chaleur et la douce harmonie du ventre maternel, le nouveau-né est précipité dans un monde auquel il va devoir s'adapter. Pour cela, il dispose de capacités et de ressources incroyables, que les recherches scientifiques nous permettent de mieux connaître. Mais il a aussi des besoins fondamentaux, qu'il nous faut respecter.

Malheureusement, ce n'est pas toujours le cas.

Nous allons voir pourquoi.

RESPECTER LA PHYSIOLOGIE DE LA NAISSANCE ET DU NOUVEAU-NÉ

J'ai été pédiatre pendant près de quarante ans. Depuis des années, je forme des professionnels de la périnatalité. Je suis mère de famille et grand-mère. Toute cette expérience et mes multiples rencontres avec des soignants, des parents et des bébés formidables m'ont appris une loi fondamentale : nous devons respecter le plus possible la physiologie de la naissance et du nouveau-né.

Mon but, avec ce livre, est de vous faire découvrir cette physiologie, mais aussi de redonner aux mères la confiance qu'elles ont parfois perdue, notamment dans le pouvoir de leur corps. Enfin, j'aimerais aider les parents à s'appuyer sur la force incroyable de leur bébé.

Ma démarche s'ancre, d'une part, dans les apports scientifiques les plus récents qui jettent une lumière nouvelle sur des pratiques aujourd'hui inadaptées, et, d'autre part, dans la façon dont est vécue la naissance dans d'autres pays du monde, avec un immense respect de la vie et de la physiologie. Tout cela doit nous faire reconsidérer nos pratiques et égarements passés – et encore présents dans de nombreuses maternités.

J'ai eu la chance de participer aux avancées majeures dans la réanimation du nouveau-né, à l'éclosion de la néonatologie, discipline toute nouvelle en France dans les années 1970, qui a permis de sauver et d'améliorer grandement la vie des prématurés et des nouveau-nés. Mais j'ai vécu aussi son corollaire : la confrontation à la douleur et aux désagréments engendrés par la médicalisation. Nous sommes entrés dans une nouvelle ère : tous les nouveau-nés ont dû être accueillis sur une table de réanimation, comme s'ils étaient prématurés ou en danger de mort, et subir de nombreux gestes systématiques, même quand ils allaient bien. Déposés sur cette table froide, ils étaient immédiatement aspirés, examinés sous toutes les coutures, pesés, mesurés, baignés… Les bébés hurlaient pendant cette première demi-heure de vie, endurant ces gestes extrêmement désagréables. J'acceptais ces pratiques lorsqu'elles étaient nécessaires à la survie de l'enfant, j'y adhérais de toutes mes forces de pédiatre. Mais lorsqu'il s'agissait de les pratiquer sur les nouveau-nés qui allaient bien, je le vivais dans un conflit intérieur très fort.

Des années 1970 à 2000, nous avons donc vécu trente ans d'hypermédicalisation, avec une approche très sécuritaire de l'accueil des nouveau-nés. Certains soignants et parents ont réagi et deux grands courants se sont opposés dans le monde de la naissance : soit on accouchait dans une maternité qui répondait à toutes les consignes sécuritaires, aux dépens des aspects humains et du bien-être du bébé et de sa mère ; soit on accouchait plus « naturellement », dans l'eau, par exemple. Sécurité et humanité ne semblaient pas pouvoir coexister, il fallait faire un choix difficile.

Actuellement, les violences obstétricales sont dénoncées, malgré d'importants progrès réalisés dans le domaine de l'accouchement depuis plusieurs décennies. Cette révolte montre qu'il reste du chemin à parcourir. Mais les nouveau-nés ne peuvent protester contre leurs conditions de naissance. En leur nom, je souhaite pointer du doigt les « malveillances », je n'ose dire les violences ou « maltraitances », qui ont accompagné et accompagnent encore leur naissance, au nom de la sécurité et de très bonnes intentions. Les bonnes intentions, notamment, d'une philosophie éducative très prégnante, fondée sur l'autonomie précoce et préconisant un maternage « distal », qui impliquait donc d'éloigner au plus tôt le bébé de sa mère pour le rendre autonome, « ne pas lui donner de mauvaises habitudes ».

Il est temps de ne plus se plier aveuglément aux pratiques qui nous ont été imposées ces quarante dernières années et d'écouter notre voix intérieure qui nous guide sur le chemin de la vie, tout en nous appuyant sur les données nouvelles de la science et de la physiologie.

ENTRE L'HYPERSÉCURITAIRE ET LA NAISSANCE « NATURELLE », UNE TROISIÈME VOIE

Une troisième voie est possible aujourd'hui, qui concilie sécurité et humanité. Au fil des années, les connaissances scientifiques sur les réels besoins d'un nouveau-né et de ses parents se sont développées. L'*evidence-based medicine* (médecine fondée sur les preuves) et l'expérience de nombreux pays, en particulier des pays nordiques, de la Suède ou de la Norvège, nous ont montré que les adaptations du nouveau-né à la vie aérienne sont nettement facilitées par une naissance respectueuse de la physiologie, fondée sur la proximité de celui-ci avec le corps maternel. Ne pas séparer un bébé de sa mère à la naissance a été mon leitmotiv, mon combat, durant toute ma vie de pédiatre. Bébé et parents ont tout à y gagner.

Il existe depuis 1992 un label international accordé par l'Unicef aux maternités qui empruntent ce chemin alliant sécurité et proximité dans le respect de la physiologie de la naissance. Ce label « hôpital ami des bébés » amène les équipes à mieux accompagner le nouveau-né dans sa venue au monde ainsi que la mère dans l'allaitement maternel.

Si la plupart des maternités des pays nordiques et de nombreux pays du monde entier ont reçu ce label, la France reste à la traîne, malgré un élan récent vers la qualité de l'accueil du nouveau-né ; nous sommes encore enfermés dans le monde sécuritaire de l'hypermédicalisation, qui nous a finalement conduits, contre toute attente, à reculer d'année en année dans les classements internationaux sur la mortalité et la morbidité périnatales.

Nous sommes à l'orée d'un nouveau chemin pour que les bébés viennent au monde dans le bien-être et la bienveillance. Peu de voix s'élèvent pour respecter les besoins fondamentaux du nouveau-né et prendre la défense de son bien-être. En leur nom, c'est cette voix que j'élève. La route est encore très longue pour parvenir au respect de leur physiologie et de leur adaptation au monde. L'accueil en peau à peau, sur la maman, au lieu de la table de réanimation progresse, mais de grandes réticences existent encore de la part de soignants qui restent figés dans leur peur et s'accrochent aux anciennes consignes sécuritaires. Les parents, eux aussi, craignent de ne pas être les parents parfaits qu'ils souhaitent devenir.

Ce nouvel accueil vous aide à plonger dans le monde du nouveau-né et dans votre nouveau monde de parents, dans un bien-être immense pour le bébé, une joie et une émotion inoubliables pour vous.

Le but de ce livre est de vous faire connaître, mères et pères, tous les besoins de votre nouveau-né, toutes ses compétences et toutes vos ressources de parents pour l'accueillir et répondre à ses besoins. Mon intention est aussi de faire tomber les craintes et les barrières qui empêchent la rencontre sereine avec votre bébé. Notre culture nous encombre de préceptes, de recommandations, de recettes, de conseils, au milieu desquels parents et professionnels de la petite enfance sont perdus.

Je souhaite vous aider à trouver *votre chemin* dans la rencontre de *votre nouveau-né*, le chemin de l'attachement profond qui portera cet enfant dans la sécurité et la confiance pour toute sa vie.

CHAPITRE
1

Naissance

« Je ne connais pas d'acte plus violent
que la naissance. Juste avant, le temps
d'un instant, fille, mère et amante
se sont rencontrées, embrassées. Puis
corps, avenir et statut se déchirent.
La fille a dû laisser la place à son enfant
pour devenir mère. Mais aussitôt né,
l'enfant est séparé d'elle pour
la première fois. »

RENÉ FRYDMAN,
NAISSANCES

Les deux moments les plus importants dans notre vie sont certainement la naissance et la mort, les moments où nous changeons de monde. Ils sont d'une importance capitale pour soi-même : si nous n'en gardons pas la mémoire précise, notre naissance reste cependant inscrite profondément dans notre histoire. Elle marque aussi nos proches. Ainsi, la naissance d'un enfant fait basculer dans un autre monde toute une famille : l'enfant devient parent, le parent devient grand-parent. Le couple devenu des parents voit sa vie totalement bouleversée, et pour toujours. La femme qui portait cet enfant dans son corps fait l'expérience d'une séparation d'une violence et d'une intensité inouïes. Elle est marquée pour toujours par cet instant exceptionnel qu'elle gardera dans son intimité la plus profonde. C'est aussi un événement social, qui fait l'objet d'une déclaration officielle, et inscrit un nouveau venu dans la grande chaîne de l'humanité.

Cette présentation de la naissance vous étonne peut-être. Sans doute pensiez-vous que je vous parlerais d'abord d'un moment extraordinaire, au sens propre, d'un moment magique, unique, exceptionnel, d'une intensité majeure… Oui, c'est cela également. Nous comprenons tout de suite que la naissance est l'instant de tous les contrastes, de tous les extrêmes : la mère quitte définitivement un état précédent, celui de femme ; elle quitte définitivement un être qui vivait en elle et l'avait complètement habitée, transformée physiquement et psychiquement ; elle a peur devant l'épreuve dangereuse qu'est l'accouchement. Le fœtus quitte le ventre maternel, où il vivait dans la totalité, la continuité, l'harmonie du monde utérin ; il risque aussi sa vie dans ce passage périlleux ; il est précipité brutalement dans un nouveau monde auquel il va devoir s'adapter coûte que coûte (lire le chapitre « Adaptations »). Nos deux participants à cette nouvelle vie vont donc affronter cette tornade, une immense aventure qui commence pour eux, ensemble. Dans le meilleur des cas, ils sont heureusement soutenus par le père, qui partage l'origine de ce tsunami, qui est là pour les protéger, les entourer, les porter sur les vagues de cette tempête, et les aider à traverser ce passage si tumultueux qui le touche et l'affecte également.

L'ACCUEIL DU NOUVEAU-NÉ, TOUTE UNE HISTOIRE...

À travers les siècles et les continents, les humains ont tenté d'instaurer des pratiques autour de l'accouchement pour supporter ce moment dangereux, complexe, décisif[1]. Ils ont fait appel à des hommes et des femmes pouvant les aider techniquement et spirituellement ; ce sont surtout des femmes, d'abord, qui s'appuient sur la complicité dans le monde féminin et le partage d'une expérience qu'elles seules vivent. Plus tardivement, très récemment au regard de l'histoire de l'humanité, les hommes y ont pris part, peut-être partagés entre deux tendances. La première, noble et chevaleresque, apportant soutien, aide et protection, allant jusqu'au respect et à l'admiration. La seconde, plus dirigiste et dominatrice, parfois même teintée d'arrogance, qui, comme le dit Simone de Beauvoir, en a fait une querelle vis-à-vis du monde féminin : l'arrogance de la technicité, du pouvoir sur celles qu'ils considèrent comme les plus faibles, les plus fragiles. La science, la technicité n'ont cessé de progresser pour améliorer les conditions des accouchements, permettant ainsi d'éloigner la mort qui rôdait autour des femmes et des bébés, et aussi d'en diminuer les souffrances.

À ces femmes, puis à ces hommes venus les soutenir, se sont mêlées les instances sociales, les cultures, les coutumes, les croyances, les religions. Naissance biologique et naissance sociale sont toujours apparues intimement liées. Il faut tout un village pour élever un enfant, dit un proverbe africain ; un homme et une femme ne suffisent pas pour faire un enfant, nous dit l'historienne Yvonne Knibiehler[2], spécialiste de l'histoire des femmes et de la maternité ; il faut toute une tradition pour le recevoir dans ce nouveau monde et accompagner la mère dans ce moment.

Ainsi, la plupart des rites instaurés au cours de l'histoire de l'humanité ont séparé immédiatement l'enfant de sa mère à la naissance : à Rome, séparation pour vérifier auprès de la sage-femme si l'enfant était bien constitué, avant de le faire reconnaître et accepter par le père.

Le colostrum fut considéré comme souillé par le sang maternel dans la plupart des cultures, donc non donné au bébé dans un premier temps ; le nouveau-né restait à jeun souvent plusieurs jours ou était alimenté par une autre femme ou des substituts variés, selon les rituels. Chez les Touaregs, le bébé tète d'abord le sein d'une autre femme reconnue comme femme d'honneur, rituel d'intégration dans la communauté qui construira cet enfant. « On offre en même temps au nouveau-né une datte préparée par un homme savant qui fait pendant à la femme allaitante. Celui-ci bénit la datte avec de l'eau qui a ruisselé sur une planchette où sont tracés des versets coraniques et, ensuite, il la mâche et la donne à la femme. Celle-ci va allaiter le bébé après avoir entouré son mamelon avec ce mélange de salive et de datte ; ou bien elle prend un peu du mélange sur le doigt et, à trois reprises, frotte le palais du bébé et, ensuite, elle lui donne le sein[3] », nous explique Saskia Walentowitz. Le « frappement du palais » lui permettra de parler, provoquera l'émergence de la conscience. Dans l'exemple de cette société, « le mouvement de construction ne se fait pas de l'individu intégré dans la famille puis dans la communauté, mais à l'inverse, on passe du collectif à la personne ». L'entrée dans cette communauté humaine, avec ses rituels, ses marques, ses symboles, est plus importante que l'entrée dans la famille restreinte et la rencontre avec les deux parents. La dimension sacrée, se référant au devenir d'une personne ayant accès à la parole, à la notion de conscience, montre l'importance accordée à ce nouvel être humain.

Chez les musulmans, le père murmure à l'oreille du bébé, le plus vite possible après sa naissance, les paroles du Coran. La dimension religieuse, portée par les paroles sacrées des Écritures, est mise en exergue. En France, durant tout le Moyen Âge, le baptême était lui aussi pratiqué le plus tôt possible. Ainsi, si l'enfant mourait, ce qui était fréquent, il pouvait être enterré dignement et aller au paradis. Dans le cas contraire, il allait dans les limbes. Le baptême *in utero* a même été pratiqué. L'intégration au sein de la communauté religieuse était alors la préoccupation essentielle de l'accueil du bébé ; ce n'était pas son confort face à ses besoins fondamentaux physiologiques qui primait, mais plutôt la réponse à des croyances bâties essentiellement sur la peur de la mort et la nécessaire protection d'un ensemble social, non réduit aux seuls parents.

Le rituel du premier bain, à travers les gestes et les symboles qui y sont introduits, reflète les fondements d'une société : «Pour ce bain, les femmes utilisent une eau dans laquelle elles mettent sept crottes de chèvre, sept crottes de chameau, des bijoux en or et en argent, tous objets importants dans cette société nomade. Ils représentent à la fois le masculin et le féminin, des matières nobles et non nobles qui sont liées à la vie et à la mort. On peut reconnaître dans ce premier bain la conception d'un enfant à partir d'ingrédients complémentaires qui font le monde[4].»

Dans ces exemples, l'inscription de l'enfant, dès la naissance, dans la communauté humaine ou religieuse est prioritaire sur son entrée dans sa famille.

À travers ces quelques traditions d'accueil du nouveau-né, nous pouvons approcher les valeurs de la société qui le reçoit. Dans notre société française actuelle, quelles sont les valeurs qui sous-tendent les pratiques de la naissance de nos bébés ? Nous allons voir l'évolution de ces pratiques depuis une cinquantaine d'années, à la lumière de mon expérience pédiatrique et de mon expérience de mère, qui se sont étroitement intriquées.

AU NOM DE LA SÉCURITÉ

Après avoir été conçue à Lourdes (un miracle peut-être ?), d'où mon prénom, j'ai eu la chance de naître à domicile, dans le lit de mes parents, en 1949, dans un village de l'Ain. En attendant patiemment ma venue en ce monde, le médecin de famille jouait aux cartes avec mon père. Je n'ai guère plus de précisions sur ma naissance, en apparence sans problème si j'en crois l'ambiance plutôt ludique qui l'accompagnait. J'ai toutefois été baptisée dès le troisième jour, mes parents préférant assurer mon avenir, proche ou lointain, au paradis. Je les remercie de cette précaution ouverte sur un futur plutôt souriant. C'était, sans nul doute, leur valeur prédominante. J'étais l'une des dernières, sans le savoir, à bénéficier de ce mode de naissance.

Années 1950 : éduquer les mères

À partir des années 1950, la plupart des bébés français sont nés dans une maternité. Et là, tout a changé. Les valeurs qui ont présidé dès lors à l'accouchement, plutôt qu'à la naissance, ont été fondées sur la sécurité et la bonne puériculture à inculquer aux mères. Il fallait éviter la mort de la mère et du bébé ; et donner aussi aux mères de bonnes bases d'hygiène, d'alimentation, d'« élevage de leur enfant[5] ». Ces consignes ont été calquées sur les pratiques hospitalières antérieures, destinées uniquement alors aux « pauvresses », aux « miséreuses », aux « filles mères qui avaient fauté », à toutes les rejetées de la société. Les autres accouchaient simplement à la maison. Les règles enseignées étaient donc celles imposées aux femmes qui ne connaissaient rien, qui étaient démunies de toutes parts, étaient méprisées, qu'il fallait éduquer, voire rééduquer. Nous en avons gardé toutes les traces jusqu'à nos jours, et, depuis plus de cinquante ans, nous considérons les mères comme des incapables, à qui il faut montrer tous les gestes, le bain, les soins du nez, des oreilles, des yeux, de la bouche, du cordon, du siège, les couches… Ces gestes sont soumis à des protocoles de soins stéréotypés, la soignante devant cocher, après les avoir montrés à la mère, « acquis », « non acquis », « en cours d'acquisition ». Celle-ci fait passer à la mère un examen qu'elle est certaine de rater.

Voilà, un peu schématisés, le regard des soignants et l'estime portée aux mères dans notre société. Vous penserez qu'elles demandent tout cela et se sentent elles-mêmes dans l'incapacité d'accomplir ces gestes simples : elles n'ont plus de modèles, les familles sont éclatées, les fratries moins nombreuses n'ont pas permis de voir tout cela durant l'enfance. Oui, bien sûr, mais nous les avons enfermées dans ce modèle de dépendance depuis cinquante ans.

La pratique de l'accouchement a complètement dépossédé la femme de son corps et de sa personne. En arrivant dans la salle d'accouchement, elle est dépouillée d'elle-même, de son histoire, de sa culture, de ses vêtements, mise à nue au sens propre et au sens figuré. Installée sur une table étroite et dure, les pieds dans les étriers, elle devient alors totalement soumise à l'accoucheur qui va sortir cet enfant, à tout prix, au prix, en particulier, souvent, de grandes souffrances pour la femme. On ne se préoccupe pas du tout de son bien-être, et encore moins de celui du nouveau-né. Il faut seulement qu'il sorte avec le minimum de morts et de « dégâts ».

Années 1960 : l'accouchement sans douleur

Puis, au cours des années 1960, apparaît l'accouchement sans douleur, pratique venue d'URSS et introduite à Paris grâce au docteur Lamaze, à la clinique des Bluets, à Paris, établissement promoteur qui l'a rapidement diffusée.

En 1951, lors d'une mission médicale, Fernand Lamaze assiste à un accouchement naturel sans douleur, ce qui se pratiquait couramment en URSS depuis les travaux du physiologiste Ivan Pavlov.

Il raconte : « Ce fut pour moi un véritable bouleversement de voir cette femme accoucher sans aucune manifestation douloureuse… tous ses muscles étaient relâchés… pas la moindre angoisse dans ses yeux, pas un cri, pas la moindre goutte de sueur ne perlait sur son front, pas une seule contraction du visage. Le moment venu, elle a fait les efforts de pousser sans aucune aide, dans un calme absolu… Après avoir été le témoin d'une chose pareille, je n'avais plus qu'une préoccupation : transplanter cela en France et… cela devenait pour moi une idée fixe[6]. »

Ce fut un grand progrès pour les femmes, mieux prises en considération, qui ont pu se « préparer à l'accouchement » avec quelques notions d'anatomie et des repères pour vivre ce moment moins désarmées. Mais le bébé hurlait toujours autant à la naissance et subissait les mêmes contraintes sécuritaires et hygiénistes.

Années 1970 : naissance de la néonatologie… et des mesures sécuritaires pour tous les bébés

C'est à cette période que je suis arrivée dans le monde de la pédiatrie et de mes propres accouchements, vivant la naissance en pédiatre réanimateur, et en mère donnant naissance à ses enfants.

En tant que pédiatres, nous ne sommes présents en salle de naissance que pour les accouchements compliqués, ceux qui se passent mal, avec des forceps, des bébés prématurés, en danger vital. Je suis arrivée en pédiatrie comme interne en 1972, aux débuts de la néonatologie, qui se lançait dans la réanimation des prématurés et des nouveau-nés qui le nécessitaient.

Cette nouvelle discipline renforçait les conditions sécuritaires de l'accouchement et les gestes infligés à tous les nouveau-nés ; cela a d'ailleurs entraîné une première vague de fermetures de nombreuses petites maternités qui se montraient plus « familiales ». Tous les bébés étaient considérés comme susceptibles d'être réanimés. Il nous a été imposé de tous les aspirer en faisant pénétrer une sonde dans la bouche et dans le nez, de vérifier qu'ils n'avaient pas d'anomalie de l'œsophage, de les examiner dans les moindres détails en contrôlant tous les orifices, de leur instiller du collyre, de la vitamine K, d'abord en piqûre puis par la bouche, le liquide ayant, de plus, un goût épouvantable. Il fallait pratiquer un examen général et neurologique pour s'assurer des réflexes ; ensuite, l'enfant hurlant était pesé, mesuré, baigné le plus souvent. Après mesure du taux de sucre par un « dextro », prélèvement d'une goutte de sang en piquant le talon du bébé, il était enfin habillé avec chemise, brassière, pyjama, bonnet, moufles, peigné avec la raie sur le côté et calé dans un lit froid, au mieux proposé alors aux bras de la mère. Il passait ainsi une demi-heure dans des hurlements, à se débattre, à se crisper, à s'agiter en tous sens, à manifester un immense mal-être ; les images de ces moments nous montrent chez le bébé des signes d'effroi, insupportables à regarder[7]. Tout cela au nom de la sacro-sainte sécurité !

Pendant ce temps, la mère attendait tandis que la sage-femme lui recousait l'implacable épisiotomie, se demandant comment était, comment allait son bébé, ressentant une inquiétude et un vide immenses. Le père commençait à être présent auprès d'elle et se lançait parfois dans la participation du premier bain. La plupart des soignants se sont pliés à ces pratiques ; j'y ai largement contribué, contrainte et forcée puisque j'avais choisi ce métier et qu'il fallait l'assumer de mon mieux ; cela était présenté ainsi. Mais que de souffrances pour le bébé, les parents et les soignants qui vivaient cela !

Dans ce contexte de soumission des soignants, quelques-uns se sont rebellés devant cette façon d'accueillir nos nouveau-nés et ont voulu réagir : Frédérick Leboyer a publié en 1974 *Pour une naissance sans violence* et a tenté de nous éclairer sur cette brutalité infligée aux bébés à la naissance. Il fut peu écouté, et même bafoué dans des polémiques intenses. Deux maternités proposaient des modes de « naissance sans violence », où l'on pouvait accoucher dans la position choisie, dans l'eau, avec la famille présente, voire les amis, la guitare (nous étions peu après Mai 68) : la maternité des Lilas, en région parisienne, et l'hôpital de Pithiviers, dans le Loiret, avec Michel Odent. C'était le retour au naturel ; le souci du bien-être de la mère et du bébé était mis en avant, aux dépens d'une sécurité sanitaire prônée par l'ensemble du monde médical. Humanité et sécurité étaient présentées comme antinomiques et inconciliables.

Pédiatre plongée dans ce dilemme, il me fallut choisir, en 1974, où donner naissance à mon premier enfant : soit la sécurité médicale d'une grande maternité parisienne, soit une naissance plus « naturelle » dans un monde plus marginal et contesté. Déjà confrontée professionnellement aux aléas et complications de l'accouchement, la pédiatre que je suis a choisi bien évidemment la sécurité médicale. J'ai alors subi avec une grande peine les affres de cette médicalisation sécuritaire et inhumaine ; la malchance a voulu que j'accouche un samedi matin à 11 h 30. L'obstétricien voulait à tout prix partir en week-end et m'a donc infligé un forceps sous anesthésie générale, ne prenant pas le temps de laisser venir l'enfant tranquillement. Faute de place, ma petite fille est restée deux jours à deux étages de ma chambre ; j'allais la voir en cachette pour tenter de lui donner le sein, comme je pouvais, me faisant gronder comme une gamine parce que j'avais osé la prendre sans permission. J'ai signé ma pancarte, comme on le disait à l'époque, pour rentrer vite à la maison et faire ce que je voulais avec ma fille, entourée des miens.

La naissance de mon enfant et ma naissance de mère m'ont été volées, confisquées, gâchées. Cela a recommencé en 1976 pour ma deuxième fille, sans anesthésie générale, mais avec une séparation ; mon bébé était placé dans la pièce adjacente derrière une vitre ; je me faisais tout autant gronder par un personnel odieux lorsque je la prenais en dehors des normes imposées ; c'était en pleine canicule, en juin 1976, tout le monde était exténué ; je suis, là encore, rentrée très vite à la maison. Pour les troisième et quatrième enfants, j'ai choisi des lieux plus humains, qui conciliaient la sécurité et plus de bien-être et de respect pour la mère et l'enfant.

Années 1980 :
les premières unités kangourou

Mon internat et mon clinicat terminés à Paris, devenue praticien hospitalier, je n'ai eu de cesse de ne pas séparer les mères des bébés. Cette séparation m'a toujours paru insupportable pour ces deux protagonistes de la naissance. Dès mon arrivée à l'hôpital de Montereau, en Seine-et-Marne, j'ai tout mis en œuvre pour laisser le bébé malade ou prématuré avec sa maman et créer une unité mère-enfant en néonatologie, appelée « unité câlin ». J'ai eu la chance d'être aidée par une directrice compréhensive, qui a soutenu matériellement ce projet, par une surveillante également très impliquée et mobilisatrice au sein de l'équipe. Il n'existait alors que deux unités dites « kangourou » en région parisienne : Clamart et Créteil.

Malgré ses bénéfices aujourd'hui avérés, cette pratique tarde à s'implanter dans nos services de néonatologie. La méthode kangourou, lancée en 1982 à Bogotá, en Colombie, prend enfin un véritable élan en France, dans le cadre des soins de développement et des soins centrés sur la famille que nous développerons dans le chapitre consacré au prématuré.

Années 1990 :
généralisation de la péridurale

Depuis cette période, nous avons heureusement beaucoup progressé dans nos pratiques de la naissance et de l'accueil du nouveau-né. Pour la femme, la péridurale a apporté un soulagement majeur aux souffrances de l'accouchement. Nos salles de naissance sont devenues des lieux calmes, tandis qu'autrefois elles étaient habitées par les cris des mères et des bébés. Le revers de la médaille est la généralisation de cette pratique à presque toutes les femmes, la péridurale étant montrée comme la seule façon d'éviter ou de maîtriser la douleur. Or il y a bien d'autres moyens, telles l'haptonomie, la sophrologie, l'acupuncture, l'hypnose, etc., qui incluent un accompagnement par une présence humaine et bienveillante.

Nous savons de mieux en mieux faire appel à ces méthodes alternatives, qui permettent à la femme de vivre son accouchement de manière plus intense. Je compare cette différence de ressenti à une marche en montagne qui nous amène, après des efforts difficiles, mais supportables, à contempler un sommet magnifique. La montée vers ce même sommet dans un téléphérique procure la même vue, mais pas le même ressenti ! La sécrétion massive de catécholamines – adrénaline et noradrénaline – et d'endorphines, que nous fabriquons lors de l'accouchement comme lors d'efforts intenses, telle une épreuve sportive, procure un état tout à fait exceptionnel dont profitent la mère et l'enfant lors de l'accouchement sans péridurale. La maman et le bébé, baignés par ces hormones, bénéficient alors d'un état sensoriel et neurologique exacerbé, qui favorise leur rencontre et permet au bébé de s'adapter au mieux à cette nouvelle vie.

··

Les catécholamines : l'aide physiologique «magique» pour faire face aux situations exceptionnelles

Une catécholamine est une substance chimique de l'organisme appartenant aux neurotransmetteurs fabriqués par les neurones. Elle est augmentée sous l'impulsion d'un stress ou d'une activité physique intense. Les catécholamines induisent des modifications physiologiques de l'organisme : augmentation de la fréquence cardiaque, de la pression artérielle et du taux de glucose dans le sang, permettant de réagir au mieux à la situation qui a déclenché cette sécrétion. Elles sont très utiles au nouveau-né pour l'aider dans toutes ses adaptations vitales et métaboliques en particulier. Elles sont d'un grand secours pour la mère également. L'accouchement physiologique permet de les déverser dans l'organisme de la mère et du bébé de façon optimale.

⋯⋯⋯⋯⋯⋯⋯⋯⋯⋯⋯⋯⋯⋯⋯⋯⋯⋯⋯⋯⋯⋯

La péridurale diminue l'effet de ces hormones. Les méthodes alternatives nécessitent un accompagnement par une sage-femme, présente plus longtemps et formée à cet accompagnement, ce qui est moins « rentable » financièrement et moins efficace dans l'immédiat !

Des avancées dans le respect de la physiologie de l'accouchement

Depuis quelques années, les parents sont de mieux en mieux préparés et informés en prénatal. La péridurale est de mieux en mieux dosée, la mère impulsant elle-même les doses qu'elle juge nécessaires pour soulager sa douleur, ce qui permet un meilleur ressenti et une participation plus active à son accouchement. Elle peut déambuler, adopter des positions plus confortables.

Les dernières recommandations médicales sur l'accouchement émanant de la Haute Autorité de santé viennent d'être publiées (janvier 2018) et préconisent le respect de la physiologie, de ne recourir à l'épisiotomie que de façon exceptionnelle, par exemple, et exhortent à une information précise et consentie des gestes pratiqués.

Vis-à-vis du nouveau-né, des gestes intrusifs sont le plus souvent écartés : suppression de l'instillation de collyre dans les yeux, suppression de l'aspiration gastrique, même pour les bébés chez qui l'on craint une infection. La plupart des maternités accueillent maintenant le nouveau-né en peau à peau sur sa mère s'il va bien et si les circonstances le permettent dans la sécurité.

Les valeurs que nous souhaitons porter pour la naissance d'un enfant sont le respect de la vie, celle de la mère et celle du bébé. Cela implique donc le respect de cette femme qui vient mettre au monde un enfant, de ce couple qui va l'accueillir, le respect de leur histoire, de leur individualité, de leurs projets pour cet enfant. Cela suppose de les informer au mieux et de les écouter pour connaître leurs attentes et y répondre en fonction des données qu'ils apportent. Les consultations prénatales jouent ce rôle.

Au moment du travail, la sage-femme donne confiance à la femme sur ses capacités à mettre au monde son bébé et l'accompagne, si possible avec le papa, dans ces instants délicats. Si tout se passe bien, la maman peut choisir sa position et les moyens de moins souffrir et se laisser guider pour trouver en elle les ressources dont elle dispose pour mener à bien cet accouchement. Il s'agit de laisser place à la confiance réciproque entre la femme, le couple et l'équipe médicale qui l'accompagne à ce moment-clé de sa vie. Céline Lemay, sage-femme au Québec, a publié un livre magnifique, *La Mise au monde*, expliquant toutes ces valeurs retrouvées[8]. Un autre ouvrage de Marie-Hélène Lahaye, paru peu après, dénonce les violences encore pratiquées sur les femmes lors de l'accouchement et indique les progrès qui restent à accomplir[9].

LES OBSTACLES À UNE NAISSANCE PHYSIOLOGIQUE

Le respect de la physiologie est la façon la plus adaptée pour un accouchement dans les meilleures conditions. Mais ce n'est pas toujours le cas et nous savons tous, patients et médecins, que cet acte particulièrement risqué peut demander l'intervention de la technique médicale. Voilà pourquoi nous venons accoucher dans une maternité : il faut être prêt aussi à intervenir à bon escient sur la « bonne nature » lorsque la situation l'exige, mais seulement dans ce cas. C'est tout l'art de cette pratique si délicate et difficile. La médicalisation a éloigné la mort de nos maternités. Elle n'a pas écarté toutes les difficultés ou complications survenant au cours de l'accouchement.

Nous faisons face actuellement à des grossesses de plus en plus compliquées, avec des femmes de plus en plus âgées, porteuses de plus en plus de pathologies, – obésité, diabète, hypertension, tabagisme, maladies ou interventions médicales multiples, procréation médicalement assistée, ce que j'appelle des grossesses « acrobatiques ». Nous y répondons de notre mieux, mais avec des contraintes médicales certaines.

D'autres prédateurs rôdent également dans nos maternités aujourd'hui : ce sont les juges et les avocats. Ils influencent, hélas, profondément nos comportements, s'immiscent dans la confiance autrefois bien installée entre parents et soignants. Tout cela explique la difficulté de ce métier, pourtant « le plus beau du monde », mais qui a tendance à se raréfier du fait de ces contraintes et de ces exigences.

Un autre obstacle s'oppose également au bon déroulement de l'accouchement et à la confiance des femmes en elles-mêmes : c'est notre « hypercorticalisation », individuellement et socialement. Je m'explique. Dans notre vie quotidienne, nous avons, en principe, un équilibre à peu près conservé entre notre cerveau émotionnel et notre cerveau cortical. Lorsque la femme est enceinte et accouche, et dans les jours suivants, elle est animée par quelque chose qui monte en elle, l'habite de plus en plus, qui a pu être qualifié de « folie des femmes enceintes », les « envies », la « constellation maternelle » développée par Daniel Stern, la « préoccupation maternelle primaire » théorisée par Donald W. Winnicott, cet état émotionnel tout à fait particulier qui fait reculer le cerveau cortical et laisse place à cette « déroute émotionnelle » de la période natale. Le chanteur Renaud le décrit très bien, à sa façon, dans sa chanson « En cloque » : « Elles me font marrer ses idées loufoques / Depuis qu'elle est en cloque / Elle s'réveille la nuit, veut bouffer des fraises / Elle a des envies balèzes. »

La femme sort de sa route habituelle, quitte ses repères et s'aventure dans un lacis émotionnel où s'imbriquent les sentiments les plus contradictoires, de l'euphorie à la détresse, de la peur à la confiance, de la pudeur à l'abandon...

Notre culture, notre société ont mis des barrières, des murs à cette hyperémotivité. La médicalisation, la recherche de savoir et la dispersion dans les livres, sur Internet, les réseaux sociaux ont chassé ce qui se passait au fond de l'intimité et du cœur pour envahir le cerveau de questionnements, de connaissances, de volontés, de décisions. Les valeurs de notre société qui sont la rentabilité, l'immédiateté, l'efficacité, la performance, le bien-être personnel, le plaisir immédiat sont en totale opposition avec les valeurs de la maternité, qui sont, dès la salle de naissance, la patience, la confiance, la concentration et le recueillement sur soi et sur celui qui est en soi, l'attente confiante d'une grande aventure et la découverte d'un monde nouveau qui va s'ouvrir devant soi. C'est aux soignants d'aider les parents à entrer dans ce monde et à lâcher l'autre, celui du téléphone portable, qui en est le symbole et la dure réalité matérielle.

Aux soignants de vous guider, parents, vers cet état d'intense confiance en vous-mêmes et en ce bébé, qui a tout ce qu'il faut pour entrer dans cette vie et vous rencontrer ; éviter cette « dystocie cérébrale » si souvent présente, et accéder au « lâcher-prise » pour entrer dans ce moment unique de la vie où l'on ne triche pas, où l'on est en vérité devant soi-même et devant ce nouveau-né.

LES BIENFAITS EXTRAORDINAIRES DU PEAU À PEAU

Notre culture, notre société actuelles accordent une place prépondérante aux seuls parents pour l'accueil du nouveau-né, contrairement à d'autres cultures traditionnelles, qui donnent la première place au clan, au village, à la communauté humaine ou religieuse de ce nouveau venu. Conciliant les connaissances scientifiques sur les besoins fondamentaux des mères et des nouveau-nés à la naissance et sur le respect des émotions intenses de ces moments, conciliant sécurité et humanité sans contradiction, nous proposons maintenant l'accueil du nouveau-né en contact étroit et immédiat avec sa mère.

Après une explication, si la maman et le bébé vont bien, si les parents sont en accord avec cette pratique, le bébé est immédiatement placé sur le ventre maternel, en peau à peau, y reste pendant une heure au moins, deux si possible, sans aucune intervention qui les sépare. Les études internationales montrent que c'est ainsi que le bébé s'adapte le mieux à sa nouvelle vie.

C'est de cette manière qu'il rencontre au mieux ses parents pour les séduire, s'attacher à eux et provoquer leur attachement. Nous détaillerons les adaptations néonatales dans un chapitre particulier. Nous comprenons ainsi que c'est en peau à peau que le bébé garde la température optimale ; c'est en peau à peau que son rythme cardiaque et respiratoire s'installe régulièrement ; c'est en peau à peau qu'il ne pleure pas, ne crie pas, ne se débat pas ; c'est en peau à peau qu'il s'apaise après le délicat passage du tunnel de l'accouchement ; c'est en peau à peau qu'il économise les pertes énergétiques immédiates – perte d'eau, de chaleur, de sucre ; c'est en peau à peau qu'il se colonise avec les germes maternels. Dans cette position, il retrouve tous les repères sensoriels de sa vie intra-utérine : le flottement et le balancement du ventre maternel, l'odeur puissante de l'aréole, rappelant celle du liquide amniotique, le toucher maternel, la prosodie. (La prosodie est l'inflexion, l'intonation, l'accent, la modulation que nous donnons à notre expression orale, de manière à rendre nos émotions et intentions plus intelligibles à nos interlocuteurs.) Il découvre et accroche le regard de ses parents, regard fondateur pour son attachement, nous y reviendrons. Ce contact en peau à peau déclenche les hormones maternelles, en particulier l'ocytocine, qui favorise son lien et sa nourriture. Il fait monter jusqu'aux seins le premier colostrum, si précieux, et permet au bébé d'aller le chercher en facilitant sa motricité et ses réflexes. Tout cela demande une heure environ et nécessite donc patience et laisser-faire. Cette séquence est mémorisée par le nouveau-né, qui pourra s'y appuyer : c'est son socle de sécurité. Le rôle de l'entourage est simplement de veiller à la sécurité de la mère et du bébé par une bonne position et l'absence de complications. L'observation de cette séquence, lorsqu'elle n'est pas interrompue par des gestes inutiles, nous a montré toutes les étapes de son déroulement et toute sa richesse.

....

Les 9 phases du comportement spontané des nouveau-nés

Une équipe suédoise a décrit les neuf phases du comportement spontané des nouveau-nés placés en peau à peau sur le ventre maternel au moment de la naissance, durant une heure sans interruption[10].

1. Le nouveau-né pousse *un cri* au contact de l'air froid lors de la première respiration.

2. Suit une phase dite de *« récupération relaxation »* : le nouveau-né ne montre aucune activité orale ou motrice. Il lève seulement les yeux.

3. Le bébé montre ensuite une *phase d'éveil intense* avec des signes d'activité, surtout de la tête, qui va de droite à gauche et de haut en bas, ainsi que des petits mouvements des membres et des épaules.

4. Cet épisode est suivi d'une *phase d'activation* ; l'enfant mobilise ses membres et sa tête et a des mouvements organisés et engagés : fouissement, redressement, sans déplacement du corps.

5. Le bébé fait ensuite des mouvements de *reptation* qui lui permettent, en poussant sur ses membres, de se *déplacer vers la poitrine* maternelle.

6. Suit un moment de détente, occupé par une *activité orale* de plus en plus importante : le nouveau-né porte ses mains et ses doigts à sa bouche avec des *mouvements de succion*.

7. Le nouveau-né va alors *se familiariser avec le sein*, le chercher, l'explorer, le lécher, le sucer, le caresser, avec des balancements de la tête, l'éloignant et la rapprochant du sein, tout en regardant intensément sa mère.

8. Le bébé prend le sein et *engage sa première tétée*.

9. Il *s'endort* ensuite paisiblement.

···

Le bébé peut réaliser toutes ces performances extraordinaires grâce à ses catécholamines, l'adrénaline qu'il a sécrétée lors de l'accouchement, dont le taux est exceptionnel et ne sera jamais égalé tout au long de sa vie, même lors des plus grandes peurs. Ces catécholamines lui procurent un éveil et une sensorialité très intenses ; ses compétences neurologiques, son tonus, ses réflexes, sa motricité sont exaltés pour lui permettre de s'adapter au mieux à ce nouveau monde, de rencontrer ses parents et de se les attacher. Ces catécholamines lui permettront également d'adapter son métabolisme et de puiser dans ses réserves durant ses premiers jours de vie. Il a bien sûr aussi toutes les compétences pour téter son premier biberon si la maman ne souhaite pas l'allaiter.

Il est important de laisser le bébé faire tout ce chemin sans précipitation, en lui laissant le temps, différent pour chacun, sans chercher à l'aider à mettre le sein dans la bouche dès qu'il cherche à s'en saisir. Winnicott avait déjà parfaitement décrit l'empressement des soignants : « Il faut noter que cette question des premières relations entre l'enfant et la mère fait naître une grande angoisse chez de nombreuses femmes ordinaires en bonne santé, et il serait difficile d'expliquer autrement la fréquence avec laquelle des infirmières qui sont d'habitude attentives et gentilles se mettent à prendre une responsabilité qui devrait être celle de la mère, se mettent à prendre toute la chose en main et, en fait, essayent de mettre de force le bébé au sein. Il n'est pas rare de trouver des infirmières qui, avec la meilleure volonté du monde, saisissent un bébé si bien emmailloté que ses mains ne sont pas libres, poussent sa bouche sur le sein, et avouent ouvertement qu'elles sont déterminées à ce que le bébé le prenne[11]. » Laissons ce processus de découverte mutuelle se dérouler patiemment et sereinement entre la nouvelle mère et le nouveau-né pour que chacun effectue sa véritable naissance.

LE PREMIER REGARD DU NOUVEAU-NÉ : DE L'ACCOUCHEMENT À LA NAISSANCE

Je voudrais maintenant détailler le premier regard du nouveau-né. La pratique du peau à peau, dans le respect de la séquence physiologique du comportement du nouveau-né durant la première heure de vie, nous permet de mesurer l'importance de ce premier regard dans la rencontre entre le bébé et ses parents et son impact sur leur attachement. Ce premier regard est, pour beaucoup de parents et de bébés, le vrai moment de la naissance.

Contrairement aux croyances ancrées depuis longtemps, dès les années 1950, le psychiatre et psychanalyste René Spitz et, un peu plus tard, en 1977, le psychologue Andrew Meltzoff nous ont montré que le nouveau-né voyait dès la naissance, et était même capable d'imiter les expressions humaines, à condition que les visages soient face à face, à une distance d'environ vingt-cinq centimètres ; le bébé est attiré par le triangle formé par la ligne des yeux et de la bouche[12].

Je vais m'appuyer sur les travaux de trois autres auteurs qui ont particulièrement bien analysé et décrit le premier regard du nouveau-né. Le docteur Marshall H. Klaus, pédiatre néonatologiste et chercheur américain, a décrit et photographié les premiers regards à la naissance ; on peut les voir dans le superbe livre *La Magie du nouveau-né*[13]. Marc Pillot, pédiatre à Roubaix, a magnifiquement décrit ce « protoregard[14] ». Et enfin Pierre Rousseau, obstétricien belge, dont les études sur le premier regard du bébé à la naissance sont passionnantes[15]. Ils disent l'intensité et la portée de ce regard dans la première rencontre avec les parents.

Pierre Rousseau a filmé soixante-quinze bébés à la naissance en s'attachant à détailler le regard et les expressions de leur visage. Il a fait analyser les images par des observateurs se fondant sur l'étude anatomique des muscles de la face de Guillaume Duchenne de Boulogne (médecin neurologue qui a donné son nom à une maladie neuromusculaire : la myopathie de Duchenne, mieux connue depuis le Téléthon) ; il a interrogé les parents concernés par l'étude pour connaître leur ressenti. Il montre ainsi que le bébé, à peine sorti du corps maternel, ouvre et ferme les yeux à plusieurs reprises, parfois même avant le premier cri, avec un mouvement stéréotypé du regard vers le haut. Si, bien positionné en face à face, il rencontre le regard de la mère ou du père, le bébé s'arrête alors de crier et regarde sa mère ou son père avec une intensité extrême qui déclenche chez les parents un véritable « coup de foudre ». Un vrai « sourire de l'âme » a pu être détecté avec ce regard, « le sourire de Duchenne » qui exprime la joie, le plaisir, le bonheur, et qui ne peut être factice.

C'est ce signal-là que le bébé envoie à ses parents comme un message provoquant leur attachement afin qu'ils puissent répondre à ses besoins fondamentaux pour sa survie. Les témoignages des parents qui reçoivent ce regard sont tous concordants : c'est une *séduction amoureuse*, les mamans disent être tombées amoureuses de leur bébé, les papas parlent de coup de foudre et de tremblement de terre, témoignant de la puissance des émotions ressenties. Ils sont alors profondément transformés dans leur identité ; c'est à ce moment qu'ils se sentent devenir pères ou mères. Les pères, en particulier, se voient investis d'une responsabilité qui ne les quittera plus pendant le reste de leur vie. Ils sont « parentalisés » par ce regard et ne pourront plus faire défaut à l'enfant, comme le dit Jean-Marie Delassus, père de la « maternologie[16] ». Toutes les photos, tous les films réalisés à la naissance dans les conditions qui permettent de capter ce premier regard confirment les données analysées par Pierre Rousseau. Il est même possible de l'observer chez un prématuré de 32 semaines. Le nouveau-né semble nous dire : « C'est toi ma mère, mon père ? » Et le parent répond : « Oui, tu peux compter sur moi, et pour toute la vie ! »

Ce regard est une nouveauté pour le bébé sortant de sa nuit fœtale. Tous ses autres sens sont prêts et vont se déployer pour cette rencontre avec sa nouvelle vie, dans une continuité transnatale. Mais la vue est une immense découverte pour lui : ébloui au sens propre et au sens figuré par ce qui lui arrive, il va découvrir pleinement ce qu'il avait ressenti depuis plusieurs mois dans sa vie utérine et intégré dans une harmonie parfaite. Son premier cri traduit le froid et la lumière subite de la naissance, et peut-être la surprise ou la peur en quittant ce monde originel si parfait. S'il retrouve aussitôt des repères sensoriels de sa vie prénatale, en découvrant cette lumière nouvelle qui illumine le nouveau monde, il va immédiatement porter son regard sur l'humain qui l'accueille, il va accrocher ce « protoregard » sur ces humains, et ainsi être lui-même humanisé. Ce regard porte en lui toute sa vie intra-utérine, son monde antérieur et intérieur fait de continuité, d'harmonie, de totalité, de perfection, d'absolu.

« Ce regard fixe, profond, intense, pénétrant, sidérant, foudroyant... un regard qui vient des profondeurs de l'être, un regard qui transperce et qui transcende. Dans ce "protoregard", tout est déroutant, troublant, dérangeant. Si on se concentre dessus, il reste le silence et le mystère... L'émotion rencontrée ici est de type ontologique. Le "protoregard" donne la sensation de la totalité de soi », nous dit Marc Pillot. « On croirait communiquer avec son âme », rapporte une maman. « On a l'impression qu'il possède toute la sagesse du monde », confie une autre. Ce regard est une passerelle entre les deux mondes ; il permet la naissance du bébé et la naissance des parents. Le bébé semble nous dire : « Lorsque tu ne sais pas où tu vas, regarde d'où tu viens. » Il nous invite à retrouver l'équilibre et la perfection du monde originel et à nous y référer.

Depuis que nous offrons cet accueil humanisé du nouveau-né dès la naissance, ma vie de pédiatre a été transformée, je partage avec les parents des moments inoubliables et leur propose une venue au monde pour le bébé dans un immense respect de leur rencontre, tout en assurant leur sécurité.

Les maternités, de plus en plus nombreuses à pratiquer le peau à peau, favorisent cette rencontre et cette naissance riche d'émotions. Mais des complications maternelles ou liées au bébé ne le permettent pas toujours. Lors des césariennes, des maternités travaillent cependant à le rendre possible. Si ce n'est pas possible avec la maman, le bébé est alors placé en peau à peau avec le papa, jusqu'à ce que cela soit possible avec la mère. Nous sommes alors témoins de magnifiques scènes d'émotion dans la rencontre du bébé et de son papa. Si des impératifs vitaux amènent à séparer le bébé de sa maman à la naissance, ce premier regard et cette première rencontre se feront souvent lors du premier peau à peau de la mère avec son nouveau-né ; c'est alors la véritable naissance pour la maman et son enfant.

Parfois, la mère ou le père ne sont pas prêts à recevoir cet appel du bébé, empêchés par une histoire difficile, une souffrance plus ou moins ancienne. L'être humain est plein de ressources et de facultés d'adaptation, et peut décaler cette rencontre, mais peut-être au prix de souffrances. L'entourage familial ou amical, le soutien des soignants seront précieux pour aider les parents à recevoir les messages que leur bébé enverra au fil du temps.

Il est temps maintenant de ne plus proposer seulement aux mères et aux bébés un accouchement en toute sécurité, mais aussi une vraie naissance humaine et « spirituelle » pour le nouveau-né et pour les nouveaux parents[17]. Cette entrée dans la vie proposée ainsi ne peut qu'aider parents et enfant à éviter les peurs et à traverser ce passage, renforcés par une rencontre exceptionnelle, base de confiance, d'attachement et d'humanité pour la vie future de cette nouvelle famille.

CHAPITRE 2

Les fabuleuses capacités d'adaptation du nouveau-né

« Certaines personnes, sans y penser,
essaieront souvent de vous apprendre
à faire des choses que vous pouvez faire
mieux que si vous appreniez à les faire. »

DONALD W. WINNICOTT

Imaginons notre vie fœtale durant les derniers jours et semaines précédant la naissance.

Je baigne dans de l'eau bien chaude, lové et flottant dans un cocon moelleux. Une douce musique m'enveloppe, mêlant rythme et bruits de fond continus ; j'avale à petites gorgées un liquide discrètement parfumé ; il fait sombre ; je n'ai d'yeux que pour ma vie intérieure. Je ne ressens aucun besoin, tout est satisfait ; aucun désir, tout est présence ; aucune aspiration, tout est bien-être dans la totalité. Le temps est permanence, homogénéité, continuité, harmonie.

Puis, après quelques contorsions, me voilà surgi dans un nouveau monde : l'air froid remplace le chaud liquide, déclenchant un cri de stupeur ; moi qui étais confortablement installé, rassemblé, me voici tiraillé de tous côtés ; des bruits violents, des odeurs désagréables m'envahissent ; pour couronner le tout, une vive lumière m'agresse subitement.

Un seul impératif s'impose alors à moi : m'adapter à ce nouveau monde, à tout prix, pour ma survie.

Belle surprise, je suis équipé pour m'adapter au mieux à cette nouvelle vie, à condition que l'on ne me prive pas des moyens de m'y installer le plus confortablement possible, malgré les désagréments annoncés.

Nous allons donc envisager les diverses adaptations nécessaires au nouveau-né, et les conditions optimales pour que ces adaptations se fassent de la meilleure manière, en nous appuyant sur les atouts physiologiques que possèdent le bébé et sa mère dès la naissance.

RESPIRER

L'adaptation la plus urgente, dès les premiers instants de vie, est l'installation du système cardio-respiratoire dans un monde aérien et non plus dans un milieu liquide. Pour cela, le nouveau-né ne dispose que de quelques minutes, et, heureusement, il réalise parfaitement cette délicate performance dans la plupart des cas. Dans le cas contraire, la sage-femme ou le pédiatre sont là pour l'y aider.

Durant la vie intra-utérine, le fœtus est relié à sa mère par le cordon ombilical, qui lui apporte en continu du sang parfaitement adapté à ses besoins immédiats de croissance. Il n'a pas besoin d'oxygéner son sang, ses poumons sont au repos et non fonctionnels. Son cœur bat rapidement, environ deux fois plus vite que le nôtre, en distribuant le sang dans tous les organes en formation, sans passer par les poumons.

À la naissance, un grand bouleversement va donc s'effectuer dans la circulation et la respiration du nouveau-né pour lui permettre de s'adapter à la vie aérienne et le rendre autonome par rapport à la circulation maternelle après la section du cordon ombilical. Les poumons du bébé vont devoir se mettre à fonctionner ; ils vont être brusquement perfusés par le sang circulant et être aérés. Des shunts (courts-circuits) cardiaques et vasculaires en place durant la vie fœtale vont disparaître ; les artères parvenant aux poumons vont être inondées de sang, permettant aux poumons d'oxygéner le sang reçu grâce à l'ouverture des alvéoles pulmonaires, qui peuvent alors se remplir d'air. C'est cela qui permet au nouveau-né de rosir en quelques minutes, le plus souvent après un cri rassurant sur cette vitalité fondamentale. Pour toutes les personnes présentes à l'accouchement, parents et soignants, c'est le «miracle» de la naissance, cet instant sublime de l'installation de la vie aérienne chez un nouveau petit être humain.

Chez le prématuré, cela peut être plus difficile et nécessiter une aide, car les alvéoles pulmonaires ont du mal à rester ouvertes, comme les ballons de baudruche auxquels on ne pourrait mettre un bouchon et qui se dégonfleraient à chaque expiration. Il faut alors les aider.

Les bébés à terme assument cela très bien le plus souvent et n'ont besoin d'aucune aide. Nous avons considéré, en France, pendant ces trente à quarante dernières années, qu'il était prudent de les aider à instaurer cette bonne respiration en aspirant les mucosités et liquides présents dans les voies respiratoires à la naissance. Toutes les études internationales s'accordent aujourd'hui à dire que cela n'est pas nécessaire, voire délétère, car susceptible de créer des lésions traumatiques et d'installer un stress nuisible au bon déroulement des adaptations physiologiques. Les pratiques françaises s'appuient désormais sur les recommandations internationales de l'International Liaison Committee on Resuscitation (Ilcor). Les bébés sont capables d'éternuer, chassant ainsi efficacement, et depuis le fond des bronches, les liquides hérités de la vie fœtale et les éventuelles mucosités[1]. En respectant cela, nous favorisons cette adaptation vitale immédiate.

Il est peut-être bon aussi d'attendre que le cordon ombilical cesse de battre spontanément plutôt que de se précipiter pour le clamper et le sectionner comme nous avons tendance à le faire en France. Dans de nombreuses cultures, on attend quelques instants avant d'interrompre la circulation ombilicale pour permettre l'équilibre entre l'installation de la nouvelle circulation et respiration et la fermeture de l'ancien circuit[2]. Les protocoles médicaux recommandent actuellement d'attendre au moins une minute avant de clamper le cordon.

QUITTER LA CHALEUR DU VENTRE MATERNEL

Se protéger du froid

In utero, le fœtus est maintenu à température constante, légèrement au-dessus de la température maternelle, dans le liquide amniotique. À la naissance, il passe brusquement d'une ambiance thermique de 37 °C à une température de 20 °C environ. Imaginez la chute ! Si nous avions l'habitude de vivre à 37 °C pendant plusieurs mois, en débarquant brutalement dans une atmosphère à 20 °C, nous aurions besoin de plusieurs jours d'acclimatation. Il en est donc ainsi pour le nouveau-né. Il a besoin de chaleur et plusieurs jours lui seront nécessaires pour s'habituer à ce nouveau climat. *A fortiori*, s'il est petit, prématuré, avec peu de réserves. C'est pourquoi ces bébés sont mis en couveuse jusqu'à ce qu'ils soient capables de réguler leur température ; cela demande plusieurs jours ou semaines selon leur poids de naissance et leur terme.

Dès la naissance, et durant les jours qui suivent, il est important de prendre en compte les déperditions de chaleur et d'économiser ces dépenses énergétiques, source d'inconfort important pour notre nourrisson. Les bébés perdent de la chaleur de multiples façons. Si vous posez un bébé nu sur un plan à température ambiante, une table à langer par exemple, surtout si elle est en plastique et sans serviette, tout le dos du bébé en contact avec cette surface froide va perdre de la chaleur par conduction. S'il est près d'un mur froid en hiver, cette perte se fait par radiation. Si vous mettez un ventilateur ou si son berceau est situé sous une ventilation, tout courant d'air augmentera les pertes de chaleur. Le simple déplacement de plusieurs personnes autour d'un bébé posé nu sur une table de réanimation ou une table à langer multiplie par deux ou trois les pertes thermiques, surtout si le bébé est mouillé après un bain. Les pertes par évaporation complètent toutes ces déperditions de chaleur ; la peau humide, notamment à la naissance avec le liquide amniotique, laissée à l'air, entraîne une déperdition importante de chaleur.

Ainsi, le premier geste important est d'essuyer le nouveau-né, sans toutefois enlever le vernix, cette magnifique pommade naturelle protectrice. Le bain à la naissance, longtemps prôné pour retrouver l'ambiance prénatale, est maintenant abandonné, car il présente plus d'inconvénients que d'avantages, le principal inconvénient étant justement le refroidissement et la perte des repères olfactifs. Notre bébé doit donc tout de suite être séché, bien enveloppé dans un linge chaud, un bonnet sur la tête. Celle-ci représente en effet 25 % de la surface corporelle, 30 % s'il est prématuré ; ne la négligeons donc pas.

Notre bébé est naturellement bien équipé pour lutter contre le froid. S'il naît à terme, vers 40 semaines, il est un peu potelé, recouvert d'une couche de graisse protectrice, en particulier sur les épaules, le cou, en pèlerine ; cette graisse existe aussi à l'intérieur de l'organisme autour des gros vaisseaux principaux que sont l'aorte et les carotides, qui vont irriguer le cerveau et les organes les plus importants. Ce tissu adipeux brun, comme il est appelé, sert à protéger du froid les parties du corps les plus importantes et les organes dits « nobles » (ceux qu'il faut sauvegarder en cas d'hémorragie : le cœur, le cerveau, les reins). C'est cette même graisse brune qui s'accumule l'été chez les animaux qui hibernent, pouvant ainsi vivre plusieurs mois sur leurs réserves[3]. N'est-ce pas magnifique ?

Une fois séché, coiffé d'un bonnet, où le bébé peut-il bien trouver le lieu le plus chaud et le plus confortable ? Sur le corps de sa mère, en peau à peau. Toutes les études ont montré que c'est le lieu où la température périphérique et centrale est la mieux maintenue, mieux que dans un incubateur (ou couveuse) ou dans un berceau, même bien couvert[4].

Les premières études ont été menées en Colombie, à Bogotá, avec les bébés dits « bébés kangourous » : faute de couveuses en nombre suffisant, les petits prématurés colombiens ont été placés en peau à peau sur leur mère et l'on a vu que cette méthode avait de multiples bénéfices, en premier lieu sur le maintien de la température. Depuis les années 1980, cette technique a été copiée dans de nombreux pays à travers le monde et de plus en plus d'études en démontrent les multiples bénéfices ; nous y reviendrons. De plus, le corps de la mère après l'accouchement, en particulier ses seins, est plus chaud grâce à l'ocytocine, hormone sécrétée en abondance pendant l'accouchement ; la mère peut donc réchauffer très efficacement son bébé en peau à peau. Ses seins sont également protégés, en cas de saignement plus abondant lié à l'accouchement, par l'ocytocine qui les transforme alors en «organe noble» pour la survie du bébé. Attention, l'exception à cette règle du meilleur réchauffement par le corps de la maman est le bébé né par césarienne, la mère, grelottant, sortant du bloc opératoire, où la température est très basse, surtout si celui-ci est très petit. Pour ne pas supprimer cependant cette possibilité, des précautions supplémentaires sont alors nécessaires, en réchauffant soigneusement la maman avant de déposer sur elle le bébé. À défaut de la maman, le papa fera aussi très bien l'affaire!

Les jours suivant la naissance, il sera opportun de maintenir les précautions permettant au bébé d'économiser ses pertes de chaleur: peau à peau fréquent, éviter les bains, toute occasion de refroidissement où le bébé est nu ou découvert, les courants d'air, les pleurs. Tout cela limitera la perte de poids et les pertes inutiles d'énergie dont il a besoin pour s'adapter au mieux.

Économiser les pertes d'eau

Aux pertes thermiques proprement dites s'ajoutent les pertes hydriques: à la naissance, le bébé est «gorgé d'eau», telle une éponge pleine d'eau qui va être essorée. De 75 % d'eau à la naissance, son corps n'en aura plus que 65 % quelques jours plus tard. Ces pertes hydriques seront encore plus importantes s'il est prématuré. Des gestes simples permettent de les limiter; le peau à peau y contribue largement. La pratique de la péridurale, amenant à perfuser les mères durant l'accouchement et à augmenter les apports hydriques par voie veineuse, conduit aussi à une surcharge hydrique chez le nouveau-né. Il élimine ainsi plus d'urine, en particulier le premier jour, et perd plus de poids. Ne nous alarmons donc pas si bébé perd beaucoup de poids durant les premières vingt-quatre heures si maman a reçu une perfusion abondante durant l'accouchement. Actuellement, cependant, la pratique de la péridurale, le plus souvent, n'est plus accompagnée de perfusion abondante.

Les pertes hydriques physiologiques du bébé se font surtout au niveau de la peau et de la respiration : elles sont aggravées si le bébé est nu, dans une atmosphère très sèche (par exemple avec une lampe chauffante), s'il a de la fièvre, s'il pleure beaucoup ou présente des difficultés respiratoires. Là encore, en pratiquant le peau à peau, en vous abstenant de gestes inutiles, comme les déshabillages fréquents, en ne pratiquant pas un bain quotidien, en respectant le rythme de votre bébé grâce à une étroite proximité, vous lui permettrez d'économiser son énergie et vous limiterez sa perte de poids.

Nous noterons au passage que le colostrum, avant la montée laiteuse, même en très faible quantité, a un pouvoir important d'économie d'énergie grâce à sa composition sous forme de gel protéiné et salé retenant l'eau. En revanche, l'apport d'eau sucrée n'a pas d'intérêt nutritif chez le nouveau-né et encourage l'élimination urinaire. Chez le prématuré, ces pertes hydriques sont augmentées.

Nous constatons avec bonheur que tous les gestes qui respectent la physiologie favorisent l'adaptation vitale et économisent les pertes hydriques et thermiques, contribuent également au confort du bébé, à son bien-être, et sont des gestes de bienveillance, de bientraitance ; ils facilitent eux aussi l'établissement des premiers liens mère-bébé.

SE NOURRIR

Durant la vie intra-utérine, le fœtus a des apports continus de glucose fourni par le sang maternel *via* le placenta et le cordon ombilical. Il se construit tout au long de la grossesse à partir de l'apport de ce seul carburant. À la naissance, la perfusion s'arrête lors du clampage du cordon. Bébé va devoir assumer ses besoins par sa nourriture, le lait, qu'il transformera et métabolisera pour assurer ses besoins immédiats et poursuivre son développement : tâche difficile à remplir du jour au lendemain. Mais nous allons voir que tout est en place pour que cela se passe de façon optimale.

L'être humain est très bien équipé pour affronter des situations de manque provisoire de nourriture. Il a vécu durant des millénaires sans réfrigérateur ni congélateur, devant faire face aux jeûnes, aux apports irréguliers de nourriture, au froid, aux conditions de vie incertaines. Il est équipé pour résister à tous ces cas de figure, même s'il n'en ressent aujourd'hui plus autant la nécessité, dans le contexte de nos vies plus confortables. Mais le nouveau-né se trouve dans une situation exceptionnelle ; il a besoin de recourir à ces mécanismes très rarement utilisés aujourd'hui. Il est pourvu de ressources « extraordinaires » sous forme de réserves dans lesquelles il va pouvoir puiser[5].

L'arrêt de la perfusion continue de glucose par la section du cordon ombilical conduit à une baisse de la concentration de sucre dans le sang : la glycémie. Durant les premiers jours de vie, le bébé ne peut avaler et digérer une quantité de lait suffisante pour répondre à ses besoins et compenser les pertes thermiques et hydriques immédiates. Il va donc obligatoirement perdre du poids. C'est comme notre compte en banque : si nous ne gagnons plus d'argent et que nous avons des dépenses obligatoires, il faut piocher dans les réserves si nous ne voulons pas être en faillite. Le nouveau-né a une légère autorisation de découvert sur son compte, mais pas trop ! Alors il est obligé de piocher dans ses réserves ; et des réserves, il en a suffisamment, à condition qu'on lui donne la possibilité de les utiliser. Nous allons voir comment.

Nous avons une hormone qui permet de déstocker les réserves : elle s'appelle le glucagon, et le nouveau-né va l'utiliser au maximum pour piocher dans les réserves disponibles ; celles-ci sont situées dans son foie, sa graisse et ses muscles. Il transforme tout cela en sucre et utilise aussi les produits de dégradation de ces métabolites pour nourrir ses organes, en particulier son cerveau. Il recycle ses déchets d'une façon très écologique ! Prenons un exemple précis : l'utilisation des lactates. Lorsque nous faisons du sport, il nous arrive d'avoir les jours suivants des courbatures ; c'est l'accumulation d'acide lactique, encore appelé lactate, dans nos muscles. Lors de l'accouchement, les contractions utérines induisent une production d'acide lactique en grande quantité. Le bébé va pouvoir utiliser cet acide lactique, en quantité augmentée, de deux façons pour pallier la chute glycémique. La première est la conversion de l'acide lactique en glucose, grâce au cycle de Krebs (cela vous rappelle peut-être de vieux souvenirs, guère utilisables jusqu'alors !), et bébé aura ainsi un peu plus de glucose disponible ; la seconde façon est l'utilisation directe de l'acide lactique par le cerveau du bébé, même s'il n'a plus de sucre dans le sang. De petites cellules appelées astrocytes sont présentes au contact des neurones de notre cerveau et ont en réserve des ressources pour pallier un manque sanguin éventuel de glucose et apporter le nutriment nécessaire à la survie des neurones en cas de carence : l'acide lactique fait partie de ces nutriments disponibles en cas d'urgence. Il y en a d'autres, comme le glycogène et l'acétone, produit de dégradation des graisses. Ces « carburants alternatifs » pallient le manque de sucre obligatoire des premiers jours. Ne soyons donc pas inquiets si bébé mange peu durant les deux premiers jours de vie, il fournit lui-même ses propres ressources pour survivre sans dommage.

Vous voyez, la glycémie n'est qu'un pâle reflet des ressources disponibles et le nouveau-né a plus d'un tour dans son sac. C'est un peu comme la voiture hybride qui fonctionne à l'essence et à l'électricité. Ici, il n'y a plus beaucoup de sucre dans le sang, mais il y a des lactates ou de l'acétone pour le cerveau, organe le plus important. Le chasseur-cueilleur faisait cela autrefois ; le nouveau-né le fait encore mieux maintenant. Il faut cependant ne pas s'opposer à ces mécanismes en apportant trop de sucre, qui libérerait de l'insuline, hormone contraire au glucagon. C'est pourquoi le bébé doit être nourri de lait et non d'eau sucrée. Le colostrum contient deux fois moins de sucre (le lactose) que le lait mature, pour permettre justement ces mécanismes de sécurité métabolique.

Afin que cela fonctionne, il faut aussi que le bébé soit à terme avec de bonnes réserves en graisse et en muscle. S'il est prématuré ou de petit poids, il aura moins de réserves dans lesquelles puiser. C'est pourquoi on lui installe une perfusion pour le nourrir s'il ne peut être alimenté rapidement. Si votre bébé consomme beaucoup à la naissance, parce que l'accouchement a été long et difficile, s'il est malade, stressé, avec des difficultés respiratoires, s'il a froid, il va consommer beaucoup et épuiser rapidement ses réserves. Il faudra alors qu'il soit nourri précocement et régulièrement et sa glycémie sera surveillée.

Ainsi, à la naissance, il sera important de distinguer deux catégories de bébés :

• Le nouveau-né à terme, de poids normal, avec une naissance sans problème particulier et qui a bien chaud près de sa maman ; et c'est le cas le plus fréquent ; ce bébé-là, dans les premières quarante-huit heures, ne risque pas d'hypoglycémie dangereuse, et il n'aura donc pas besoin d'apport impératif de lait très régulièrement et en quantité rigoureusement contrôlée. À travers l'histoire de l'humanité, les bébés n'ont pas toujours été alimentés dès le premier jour, et ce fut sans dommage pour leur santé et leur développement, grâce à ces mécanismes de sécurité. S'il dort six à huit heures sans interruption durant les premières vingt-quatre heures, nous pouvons le laisser récupérer après l'accouchement ; les petites gorgées de colostrum qu'il prendra lors de ses réveils seront suffisantes pour répondre à ses besoins. Ne soyons plus obsédés par les apports alimentaires réguliers, contrôlés, abondants dès les deux premiers jours de vie. Et il n'est pas nécessaire de proposer des quantités de biberons supérieures aux quelques millilitres qu'il est capable de digérer dès la naissance. L'estomac est minuscule, fait pour contenir ces millilitres seulement. Les biberons préremplis disponibles en maternité, appelés « nourettes », sont très pratiques ; mais les bébés ont tendance à boire des quantités supérieures à leurs besoins dès les premières heures de vie, qui ne correspondent pas à ce qu'ils prennent naturellement au sein. Or parents et soignants sont très satisfaits et rassurés de voir les bébés si bien manger.

- En revanche, le bébé prématuré, qui a un petit poids de naissance, ou le bébé malade ou qui a eu froid, qui a connu une naissance difficile, aura besoin d'apports réguliers et riches en graisse et en protéines dès le premier jour, et pas seulement en sucre, pour parer à ses déficits de réserve et à sa plus grande consommation. Et c'est le colostrum et le lait maternel qui apporteront la meilleure réponse à ses besoins.

....

Petite application pratique pour la vie de tous les jours dans nos maternités

Les pédiatres très attentifs et consciencieux qui prennent soin de nos bébés dans nos maternités sont des néonatologistes rodés aux soins des prématurés. Ils sont donc habités par la crainte de l'hypoglycémie et ont une tendance à multiplier les contrôles de glycémie, le fameux « dextro », même chez les bébés à terme qui vont bien. C'est pour lutter contre cet excès de zèle très français, exemple de notre hypermédicalisation, que j'ai détaillé ces mécanismes de régulation métabolique du nouveau-né, afin que l'on comprenne bien pourquoi il n'est pas nécessaire d'appliquer à tous les bébés des mesures qui devraient être réservées à ceux qui présentent un risque particulier, qui sont malades ou prématurés.

Je pose également la question des conséquences à court, moyen et long terme, non précisées jusqu'alors, des quantités de lait, nettement plus importantes que celles proposées par la physiologie, bues par les bébés nourris au biberon dès les premiers jours de vie.

....

DIGÉRER

Durant la vie utérine, le fœtus avale le liquide amniotique par petites gorgées à longueur de journée. Il sait donc sucer, téter, déglutir ce soluté à la fois salé et sucré. Son tube digestif s'est développé en fonction de ces apports assez élémentaires. À la naissance, c'est du colostrum ou du lait qui vont débarquer dans son tube digestif de façon beaucoup plus discontinue et avec des composants plus complexes à digérer. De plus, il va falloir apprendre à coordonner la succion et la déglutition avec la respiration pour les avaler. Et la respiration, c'est nouveau !

La nature nous a pourvus d'un aliment magnifique pour faire cette transition et cet apprentissage : le colostrum. En petite quantité, précieux dans sa composition, cet aliment va présenter tous les avantages pour que notre nouveau-né l'absorbe et le digère de façon optimale : il a la quantité nécessaire et suffisante, est épais pour éviter les fausses routes, a la composition parfaite pour apporter les éléments nutritifs adéquats aux besoins immédiats, évite les pertes inutiles, facilite l'élimination du méconium accumulé pendant toute la grossesse ; il possède même des facteurs de croissance cellulaire, permettant au tube digestif de se développer encore mieux. De plus, il a la coquetterie d'avoir le même goût que le liquide amniotique que bébé avait l'habitude de boire dans sa vie antérieure. Vraiment tout pour plaire ! Alors ce serait dommage de ne pas le proposer.

Pour établir une comparaison, le colostrum est au lait ce que la gelée royale est au miel ! À travers l'histoire, ce liquide jaunâtre a été considéré comme suspect par de nombreuses cultures et méprisé. Quel dommage ! À tel point que les mères disent « n'avoir que du colostrum et pas de lait » les premiers jours. Nous connaissons de mieux en mieux sa grande richesse, alors ne nous en privons pas. Les services de prématurés se penchent de plus en plus sur ses bénéfices et offrent maintenant le colostrum de façon très précoce aux nouveau-nés prématurés ou malades pour les aider dans leur démarrage difficile. Après les quelques jours de phase colostrale, le lait maternel apportera le meilleur pour la nutrition, la digestion et le développement global, en particulier cérébral, de bébé. Si l'allaitement maternel n'est pas possible, le lait de vache transformé par les industriels pour le rapprocher du lait maternel permet de nourrir de façon satisfaisante la plupart des bébés à terme.

S'IMMUNISER

L'adaptation immunologique et infectieuse prolonge l'adaptation digestive. Le fœtus vivait précédemment dans une atmosphère stérile. Mettons à part les cas particuliers d'infection materno-fœtale où la mère transmet à son bébé une infection virale, bactérienne ou parasitaire qu'elle a pu contracter durant la grossesse. À la naissance, le tube digestif stérile va se coloniser avec les germes qu'il rencontre dans son environnement immédiat. Le premier environnement est celui de l'accouchement. Selon que l'enfant naît par les voies naturelles, dites voie basse, ou par césarienne dans un bloc opératoire, la colonisation digestive sera différente et le restera pendant plusieurs mois. Et selon que le bébé recevra du colostrum et du lait maternel ou du lait de vache, la flore intestinale sera également différente[6].

Vous devinerez sans doute que la flore intestinale «idéale» pour un nouveau-né est celle obtenue lors d'un accouchement par voie vaginale et avec le colostrum et le lait maternel, à l'exclusion de tout autre apport. C'est ce que de très nombreuses études ne cessent de nous prouver, non seulement pour un intérêt immédiat ou à court terme, mais aussi et surtout pour un intérêt à long terme, voire toute la vie. Les études actuelles insistent également sur l'influence de l'alimentation sur la santé globale des populations. L'intestin est aussi montré maintenant comme un deuxième cerveau, lieu où se trament de nombreux comportements et complots, comme le dit Giulia Enders dans son livre best-seller[7]!

Alors regardons cela de plus près chez notre nouveau-né. Lorsqu'il naît par les voies naturelles, il traverse le vagin et va inhaler et avaler au passage les germes vaginaux, mais aussi ceux d'origine intestinale maternelle qui sont là, tout proches. Oui, vous avez bien compris, cela est très bénéfique pour notre cher bébé, qui va donc être colonisé par les germes de cette maman-là, qui vit dans cette famille-là, avec cette flore précise. Et cette flore-là s'accompagnera des défenses précises qu'elle engendre, notamment dans le colostrum puis dans le lait maternel. Si, par exemple, un grand frère de 3 ans fréquentant l'école maternelle depuis trois mois fait partie de la famille, il a apporté les germes et les virus des six gastro-entérites et des quatre rhino-pharyngites et bronchites qu'il a endurées depuis la rentrée scolaire. Il les a partagés avec sa maman, qui transmettra donc les défenses et l'écosystème immunitaires adaptés à son nouveau-né.

Ajoutons que le système immunitaire, qui se construit pour toute la vie, est initié à partir du tube digestif et de la flore intestinale. Vous comprendrez donc l'intérêt majeur de proposer à notre nouveau-né de constituer tout son écosystème immunitaire et ses défenses infectieuses à partir d'une belle flore intestinale, élaborée, dans le meilleur des cas, avec le colostrum et le lait maternel après une naissance par les voies naturelles.

Nous pouvons compléter cette approche immunologique par les autres portes d'entrée infectieuses proposées à notre nouveau-né, en particulier les voies cutanées et aériennes. Si le bébé est posé dès la naissance en peau à peau sur sa maman, il complétera sa colonisation et son immunisation avec les germes cutanés de sa mère, avec les mains de sa mère, avec les virus des éternuements ou postillons de sa mère. Or les agents infectieux apportés par les parents ne sont, en général, « pas trop méchants » et constituent des apports indispensables à l'élaboration du système immunitaire. Cela est largement préférable à tous les autres agents infectieux apportés par les soignants, germes hospitaliers qui risquent d'être « plus méchants » pour le bébé malgré toutes les précautions d'asepsie.

Ces magnifiques atouts révélés dès la naissance par le nouveau-né sont de mieux en mieux compris et servent désormais d'appui pour accueillir le nouveau-né dans des conditions qui respectent au maximum ces richesses. L'Organisation mondiale de la santé (OMS) et l'Unicef ont mis en place, en 1991, l'initiative Hôpital ami des bébés (Ihab) à travers le monde. Son but premier était d'accompagner et de favoriser l'allaitement maternel. Il permet aussi de transformer les pratiques hospitalières en s'appuyant sur ces bases physiologiques. Depuis le lancement de l'initiative, plus de 15 000 établissements dans 134 pays ont obtenu l'appellation « Ami des bébés », améliorant la santé des nouveau-nés. De Cuba au Gabon en passant par la Chine et le Chili, en Europe, où la Suède et la Norvège battent les records de labellisation, ces critères de qualité ont conquis le monde. Passé de dix à douze conditions depuis 2016, ce label gagne progressivement la France, à l'heure où l'on commence à parler de « label de qualité » pour nos maternités. En voici un bien rodé qui a fait ses preuves à travers le monde[8].

....

Label « Hôpital ami des bébés »
Les douze recommandations
1. Adopter une politique d'accueil et d'accompagnement des nouveau-nés et de leur famille, formulée par écrit et systématiquement portée à la connaissance de tous les personnels soignants.
2. Donner à tous les personnels soignants les compétences nécessaires pour mettre en œuvre cette politique.
3. Informer toutes les femmes enceintes des avantages de l'allaitement au sein et de sa pratique, qu'elles soient suivies ou non dans l'établissement. Informer les femmes enceintes hospitalisées risquant d'accoucher prématurément ou de donner naissance à un enfant malade des bénéfices de l'allaitement et de la conduite de la lactation et de l'allaitement.
4. Placer le nouveau-né en peau à peau avec sa mère immédiatement à la naissance pendant au moins une heure et encourager la mère à reconnaître quand son bébé est prêt à téter, en proposant de l'aide si besoin. Pour le nouveau-né né avant 37 semaines d'aménorrhée, il s'agit de maintenir une proximité maximale entre la mère et le nouveau-né, quand leur état médical le permet.
5. Indiquer aux mères qui allaitent comment pratiquer l'allaitement au sein et comment mettre en route et entretenir la lactation, même si elles se trouvent séparées de leur nouveau-né ou s'il ne peut pas téter. Donner aux mères qui n'allaitent pas des informations adaptées sur l'alimentation de leur nouveau-né.

6. Privilégier l'allaitement maternel exclusif en ne donnant aux nouveau-nés allaités aucun aliment ni aucune boisson autre que le lait maternel, sauf indication médicale. Privilégier le lait de la mère, donné cru chaque fois que possible, et privilégier le lait de lactarium si un complément est nécessaire.

7. Laisser le nouveau-né avec sa mère vingt-quatre heures sur vingt-quatre. Favoriser la proximité de la mère et du bébé, privilégier le contact peau à peau et le considérer comme un soin.

8. Encourager l'alimentation « à la demande » de l'enfant. Observer le comportement de l'enfant prématuré ou malade pour déterminer sa capacité à téter. Proposer des stratégies permettant de progresser vers l'alimentation autonome.

9. Pour les bébés allaités, réserver l'usage des biberons et des sucettes aux situations particulières.

10. Identifier les associations de soutien à l'allaitement maternel et autres soutiens adaptés et leur adresser les mères dès leur sortie de l'établissement. Travailler en réseau.

11. Protéger les familles des pressions commerciales en respectant le Code international de commercialisation des substituts du lait maternel.

12. Pendant le travail et l'accouchement, adopter des pratiques susceptibles de favoriser le lien mère-enfant et un bon démarrage de l'allaitement.

....

Nous venons d'admirer les merveilles de la physiologie, qui donne au nouveau-né tous les atouts pour s'adapter au mieux à notre monde. À nous de ne pas les gâcher par des gestes inutiles et de nous appuyer au contraire sur eux. D'autres adaptations sont nécessaires au bébé pour apprivoiser cette nouvelle vie. Elles méritent à elles seules des chapitres entiers : ce sont les adaptations sensorielles, les rythmes et le sommeil, et les adaptations relationnelles émotionnelles et psychiques, résultantes de toutes ces adaptations. Nous les aborderons successivement dans ce livre.

J'espère vous avoir mis en appétit pour la suite !

CHAPITRE
3

Les besoins les plus précieux du nouveau-né : sécurité et bien-être

« Un proverbe chinois dit que "les parents ne peuvent donner que deux choses à leur enfant : des racines et des ailes". La bientraitance, si bien enracinée soit-elle, appelle aujourd'hui à un nouveau souffle : celui qui lui donnera les ailes dont elle a besoin pour que nos enfants naissent, grandissent et se construisent dans une société, justement, bien-traitante. »

DANIELLE RAPOPORT

Dès ses premiers instants de vie, le nouveau-né, en entrant dans notre monde, va manifester des besoins impératifs, alors qu'ils étaient parfaitement satisfaits de façon constante et naturelle dans le ventre maternel. Ces nouveaux besoins vont nécessiter la présence et le soutien d'un adulte, qui viendra à son aide de manière quasi permanente. Nous allons les analyser et les hiérarchiser.

LE BESOIN DE SÉCURITÉ

C'est le premier besoin vital qui doit être assuré.

Sécurité de l'accouchement

Mère et bébé ont un besoin vital de sécurité à la naissance. C'est pour cette raison que la plupart des femmes accouchent dans une maternité. Jusque dans un passé récent, le risque vital pesait lourdement sur la mère et sur l'enfant lors de l'accouchement. Ce danger a largement diminué sans disparaître totalement, et nous devons en rester conscients ; les progrès majeurs de l'obstétrique en ont considérablement diminué les effets, mais le métier d'obstétricien reste l'un des plus difficiles et les compagnies d'assurances le font savoir aux accoucheurs.

C'est pour cela qu'en France nous ne sommes pas prêts, en règle générale, à assurer l'accouchement à domicile ; seules quelques exceptions existent. Les maisons de naissance, permettant d'accoucher physiologiquement sans médicalisation avec l'accompagnement d'une sage-femme, commencent à peine à voir le jour, encadrées par des règles strictes à proximité et en lien direct avec une maternité. Elles sont réservées aux femmes qui ont fait ce choix, avec une grossesse sans aucune pathologie, et donc sans risque *a priori* pour un accouchement physiologique, sans péridurale ; elles sont accompagnées par une sage-femme qui assume ce choix, elle aussi.

Les trois types de maternités

Actuellement, la majorité des Françaises accouchent dans une maternité, publique ou privée. Les maternités sont classées en trois types selon leur niveau de soins face à la pathologie :

- Les maternités de type I accueillent les grossesses normales, sans pathologie ; ce sont le plus souvent des maternités de petite taille, de proximité, dans lesquelles règne une ambiance plutôt familiale.
- Les maternités de type II répondent à des grossesses qui peuvent présenter des pathologies et nécessiter une surveillance particulière. Elles ont, dans le même établissement, un service de néonatologie qui a la capacité d'accueillir un bébé prématuré né à plus de 32 semaines de terme. Une équipe pédiatrique est présente en permanence pour répondre à cette éventualité. Pour que mère et bébé ne soient pas séparés à la naissance, il est souhaitable que ces services de néonatologie puissent accueillir les mères auprès de leur bébé si celui-ci présente des soins médicaux particuliers. Si vous êtes devant cette éventualité, réclamez cette possibilité ! C'est un droit inscrit dans la charte de l'enfant hospitalisé[1].
- Les maternités de type III sont équipées pour accueillir les pathologies maternelles ou fœtales les plus lourdes ainsi

que les plus grands prématurés. Elles possèdent un service de réanimation pour la mère et pour le bébé. Ce sont en général les grandes maternités des centres hospitalo-universitaires (CHU).

Chaque femme s'oriente ou est orientée vers la structure qui correspond le mieux à ses attentes ou à la situation particulière de sa grossesse.

Le projet de naissance

De nombreux parents font actuellement un « projet de naissance », qui précise leurs souhaits d'accueil à la maternité. Il s'inscrit dans le cadre d'une préparation à la naissance, accompagnée au mieux dans la structure choisie pour l'accouchement. Ce projet témoigne de la réflexion de chaque couple. Il se place dans le respect mutuel des souhaits des parents et des impératifs de sécurité, car il faut garder à l'esprit que tout n'est pas prévisible, et que, dans tous les cas, la sécurité de la mère et du bébé prévaut dans la décision. Les parents expriment leurs souhaits quant à la prise en charge de la douleur, avec ou sans péridurale, la place de la médicalisation, les modalités d'accueil à la naissance, notamment le placement immédiat du bébé sur le ventre maternel en peau à peau, la place du père ou de l'accompagnateur (ou accompagnatrice) à ce moment. Ce projet élaboré au cours de la grossesse permet surtout d'informer et de préparer l'arrivée de ce bébé et sa première rencontre avec ses parents, moment si important de la vie du nouveau-né et des parents.

Sécurité des deux premières heures

Pour assurer la sécurité de la mère et du bébé, la règle est, dans toutes les maternités françaises, de les surveiller dans la salle de naissance durant les deux heures qui suivent la naissance, sous la responsabilité de l'équipe obstétricale. Dans le chapitre « Naissance », nous avons vu l'importance de ces deux premières heures pour la rencontre du bébé avec ses parents. Cette rencontre s'effectue au mieux dans la position en peau à peau, qui doit se faire en toute sécurité. Ce sont deux heures fondamentales dans la vie d'une mère, d'un père et d'un bébé qui vient de naître. Soulignons l'importance de la présence du père, capitale et fondatrice pour toute la vie de cette famille. Il aura tout le temps de prévenir la famille et les proches, d'annoncer le poids de naissance. Ce n'est pas le plus important ni le plus urgent ; le plus important et le plus urgent est de rester auprès de la mère et du bébé pour les protéger, les découvrir, les entourer, les savourer. Et, de grâce, oublions les portables pendant ces deux heures. Ne plaçons pas un écran qui nous empêche de vivre pleinement ces moments uniques et si précieux pour toute notre vie. La photo pourra être faite au terme des deux heures passées ensemble. Il est bon de les vivre d'abord réellement dans toute leur intensité.

Pour la sécurité de ces deux premières heures, vérifions que maman est bien présente, réactive, placée en position surélevée. Pour le bébé, vérifions qu'il est réactif et bien placé sur le ventre de maman, les voies respiratoires libres, visibles et dégagées, et qu'il ne peut pas tomber. Tout l'art de l'équipe soignante est de surveiller régulièrement ces données chez la mère et le bébé, d'éviter les stimuli inutiles tels que la pesée, la mensuration, l'aspiration non justifiée, tout en respectant l'intimité de ce merveilleux trio.

Le positionnement en sécurité pour le peau à peau en salle de naissance

- La mère ou la personne qui a le bébé en peau à peau est en position surélevée, pas à plat dos.
- Le dos du bébé est couvert et les cheveux sont séchés.
- L'enfant est en position de flexion contre le thorax, les jambes sont fléchies.
- Les épaules de l'enfant «déployées» contre le thorax de l'adulte, non rentrées.
- Le thorax de l'enfant est contre le thorax de l'adulte, pas sur le sein.
- La tête de l'enfant est tournée sur le côté.
- La face de l'enfant est visible.
- Le nez et la bouche sont visibles et libres.
- Le cou de l'enfant est droit, non plié.
- L'enfant et la mère sont surveillés de près.
- Un bandeau de contention est recommandé après la première tétée, et si la mère et l'enfant s'assoupissent.

Les besoins fondamentaux des premiers jours

Durant les jours suivants, en maternité, la sécurité reste le point dominant pour la mère et le bébé.

Une attention toute particulière à la douleur

L'équipe médicale s'assure de votre bonne santé et de celle du bébé. Une attention particulière doit être portée pour éviter, détecter et calmer la douleur du nouveau-né. Parents et soignants y collaborent étroitement. Vous, les mères, le savez bien : la douleur est capable de tout gâcher. Elle est envahissante, parfois dévorante, et vous prive de tout intérêt pour les autres, de toute relation avec ceux que vous aimez, alors que vous y aspirez de tout votre cœur.

Un bébé qui souffre a beaucoup plus de difficultés à s'adapter physiologiquement à ses nouvelles conditions de vie ; il a du mal à réguler sa température, à se nourrir ; il a du mal à rencontrer ses parents et à créer avec eux le lien positif qui conduit à l'attachement. La douleur est une barrière à toutes les adaptations. Nous analyserons, dans le chapitre « Bébé nous parle… sans les mots », les signes d'un bébé dans l'inconfort ou dans la douleur.

La douleur du nouveau-né a longtemps été niée ou négligée. Or elle peut être bien présente et réelle après l'accouchement, qui a pu se révéler douloureux pour lui aussi.

Autrefois, nos salles de naissance étaient très bruyantes : les cris des femmes et des bébés envahissaient l'espace, et nous, soignants, y étions habitués, considérant cela comme inévitable. La péridurale a fait cesser les cris des mères, le peau à peau ceux des nouveau-nés. Nous savourons maintenant l'atmosphère sereine et paisible, voire recueillie, qui entoure leur venue au monde. Les mamans sont même parfois inquiètes de ne pas entendre crier leur bébé, se demandant s'il va bien. Ainsi, ayant vécu ce changement, j'ai été particulièrement attentive aux bébés qui, malgré toutes nos précautions, criaient et pleuraient dès la naissance. Pourquoi pleurent-ils ?

Je les ai examinés soigneusement afin de trouver une réponse. Parfois, elle était évidente : ce bébé venait de subir un forceps, une ventouse, une fracture de clavicule. L'accouchement avait été long, difficile, ou au contraire très rapide, ou bien le liquide était teinté. Mais la douleur peut aussi être présente après un accouchement normal[3]. Ces constatations m'ont ainsi amenée à cette évidence : les bébés peuvent ressentir de la douleur à la naissance, ils peuvent avoir difficilement vécu l'accouchement. Alors, désireuse de soulager très rapidement cette douleur supposée, je leur ai donné du paracétamol, et miracle, dans les minutes suivantes, le bébé s'apaisait, regardait sa mère et son père en les dévorant des yeux et retrouvait toutes ses facultés d'adaptation.

Depuis plusieurs années et dans de plus en plus de maternités, grâce aussi à l'expérience des services de néonatologie, une attention est portée à la douleur des nouveau-nés. Des échelles de douleur permettent de reconnaître les signes exprimés sur son visage et sur son corps. Vous, parents, êtes les meilleurs observateurs pour constater ces signes. Cela permet d'adapter au mieux les mesures et les médicaments éventuels pour soulager cette douleur, améliorant la vie des premiers jours de bébé.

Avoir chaud

Nous l'avons vu dans le chapitre précédent sur les adaptations, c'est un besoin urgent et fondamental.

Durant les premiers jours de vie, nous serons donc attentifs à épargner au nouveau-né les pertes énergétiques inutiles occasionnées par des stimulations inappropriées, sources d'agitation et de pleurs, telles que le bain par exemple.

Se nourrir

Se nourrir, bien sûr, est important, mais moins urgent que de maintenir sa température. S'il est laissé près de vous, au mieux en peau à peau, et si vous êtes attentive aux signes qu'il manifeste, votre bébé possède la faculté de se nourrir et d'aller au sein si vous souhaitez l'allaiter.

Au biberon, vous comprenez aussi très vite si c'est le moment opportun pour le lui proposer. La première prise du biberon doit être surveillée avec grande attention. Le biberon n'est pas plus facile que le sein, mais il coule plus aisément et peut donc se révéler plus dangereux si une anomalie digestive ou respiratoire est présente. C'est pourquoi il est bon de respecter les quantités physiologiques d'un allaitement maternel.

La première tétée est importante à observer, elle peut permettre de détecter ou d'éliminer une pathologie et c'est le moment de prendre soin d'installer bébé dans les conditions optimales d'une tétée efficace, dont il gardera la trace positive.

Durant les trois premiers jours, le bébé au sein a surtout besoin d'apprendre à synchroniser succion, déglutition et respiration avec de petites quantités de colostrum bien épais, avant de se nourrir avec les quantités nettement plus importantes qui arriveront lors de la montée laiteuse, après le troisième jour le plus souvent. Les petites doses de colostrum sont d'abord suffisantes pour le nourrir. Durant ces trois premiers jours, les tétées fréquentes permettent, outre l'apprentissage de la succion et de la déglutition efficaces dans une bonne position au sein, de lancer la lactation maternelle. C'est en effet la bonne succion du bébé qui déterminera la fabrication du lait et conditionnera la quantité produite. Nous détaillerons cela dans le chapitre « La lactation, comment ça marche ? ».

Quant au biberon, la tendance est souvent de proposer des doses largement supérieures aux besoins du bébé. Contrairement au lait maternel, qui se digère très rapidement, le lait de substitution peut nécessiter un délai de deux à trois heures pour être digéré, justifiant un laps de temps minimum entre les prises de biberon.

Dormir

C'est un besoin vital pour tous auquel nous devons répondre avec la plus grande sécurité dès les premières heures de vie. Au cours de la deuxième heure, en salle de naissance, maman et bébé vont avoir tendance à s'endormir après la dure épreuve de l'accouchement, et après une première heure d'éveil exceptionnel. Cette deuxième heure est donc particulièrement importante à surveiller, que le bébé soit en peau à peau ou dans un berceau. Nous exposerons les conditions de sécurité du sommeil dans le chapitre consacré aux rythmes du bébé.

Les besoins élémentaires de sécurité étant apportés au nouveau-né, nous pouvons nous pencher sur ses besoins de bien-être et de bien naître dans la bienveillance.

LE BESOIN DE BIEN-ÊTRE

Notre bébé est bien vivant, en bonne santé, réchauffé, suffisamment nourri, et peut dormir en sécurité, que reste-t-il à lui offrir ? Le bien-être et le bien naître dans la bienveillance.

Le bien-être, c'est l'absence de douleur, d'inconfort, tout ce qui perturbe le rythme, les besoins immédiats, même s'ils ne sont pas vitaux. Pour notre bébé, il s'agit de lui assurer ce confort au fil des heures, des jours et des nuits, de le faire entrer dans cette nouvelle vie sur un mode doux, confortable, bienveillant, serein, joyeux. Que penseriez-vous de lui proposer la dynamique « désir-plaisir » plutôt qu'« action-réaction » ? Nous avons été imprégnés des années durant par une culture du « laisser pleurer pour ne pas donner de mauvaises habitudes », et par une certaine mise à distance des bébés, dans leur chambre, loin des parents.

Reconsidérons ce que représente le bien-être pour un nouveau-né. Il s'appuie sur quatre piliers : la reconnaissance des signaux lancés par le bébé, la continuité sensorielle, le respect des rythmes, la proximité maternelle. Les trois premiers piliers constituent des chapitres à eux seuls, que nous détaillerons donc plus loin, mais je vous propose de les aborder ici en quelques mots.

La reconnaissance des signaux lancés par le bébé

Bébé nous parle (voir le chapitre p. 87). N'attendons pas qu'il s'époumone pour nous dire sa détresse et son besoin impératif d'aide. Fions-nous à ses petits signes que nous allons apprendre à détecter et à connaître au fil du temps. Ses mimiques, ses attitudes nous en disent beaucoup sur ses besoins. Nous apprendrons à y répondre par les bons gestes ou, parfois, par l'absence de gestes.

Pourquoi, par exemple, réveiller un bébé qui dort pour le changer, le baigner ? Respectons son sommeil, il est si précieux ! Pourquoi lui caresser la joue lorsqu'il dort ? Il peut sursauter sous l'effet de cette stimulation ressentie comme désagréable. Pourquoi lui mettre des cotons dans le nez alors qu'il sait parfaitement éternuer ? Pourquoi lui mettre systématiquement une tétine dans la bouche alors que lui parler doucement, lui poser une main sur le ventre, le bercer calmement suffisent à apaiser ce petit moment d'agitation ? Parfois, avec un tout petit rien de notre part, il trouve lui-même ses propres ressources, ses réponses, comme porter ses mains sur son visage, agripper un bout de vêtement. Après, si ce n'est pas suffisant, nous trouverons le petit geste d'apaisement qui répond à sa demande. C'est ce que Winnicott appelle le « *handling* » et le « *holding* », la façon dont la mère tient son enfant, le manipule, façonne en quelque sorte la relation qu'ils ont tous deux, la leur, qui se construit à tâtons au fil des heures dès les premiers jours et procure à l'enfant sa fameuse « sécurité de base ». Chaque parent tâtonne pour trouver son *modus vivendi* avec son enfant, et créer l'alchimie subtile entre ce bébé-là et cette mère-là, et ce père-là. Père et mère ne répondent d'ailleurs pas de la même façon et bébé s'y retrouve très bien pour recevoir les messages de réconfort de chacun. C'est un travail de patience, d'attention, d'oubli de soi, de lâcher-prise, d'abandon de ses propres préoccupations, bref, de don…

et nous n'y sommes pas toujours prêts! Nous avons besoin de soutien dans cette tâche trop difficile à assumer dans la solitude, vingt-quatre heures sur vingt-quatre. Nous avons besoin d'être portées, rassurées, maternées à notre tour, nous les mères, pour faire face à ce « maternage » dont nous ignorions tout jusqu'à l'accouchement.

La continuité sensorielle

Notre nourrisson est un peu perdu dans ce nouvel univers. Retrouver les repères de son monde anténatal lui apporte les appuis pour affronter cet environnement inconnu plein de surprises et ouvert sur une grande aventure. Nous détaillerons cette continuité sensorielle transnatale dans le chapitre « La sensorialité du nouveau-né ».

Le toucher

Le toucher est le premier sens éprouvé durant la vie fœtale, avec la proprioception, c'est-à-dire la position dans l'espace, et le mouvement, qui commence très tôt dans l'utérus. Ces sensations bien ressenties en milieu aquatique vont être modifiées par la pesanteur du monde aérien, et le nouveau-né est réconforté s'il s'appuie sur ces impressions prénatales. C'est dans les bras de sa mère, de son père qu'il les retrouve au mieux : il y est contenu, entouré, recroquevillé, pelotonné, bercé, comme dans le ventre maternel. Les douces caresses reproduisent le chatouillis du lanugo, ce duvet fin qui s'agitait avec le mouvement du liquide amniotique. Toutes les mères du monde ont constaté que les bébés pleurent moins lorsque l'on est debout et que l'on marche plutôt qu'en restant assis, quand on berce plutôt que quand on reste immobile ; une étude vient de prouver «l'effet calmant du portage maternel chez différentes espèces de mammifères[4]».

L'odorat

L'odorat joue un rôle très important, *in utero* comme *ex utero*, chez le nourrisson. Retrouver l'odeur de la peau maternelle, du sein, du colostrum rappelant les odeurs et saveurs du liquide amniotique lui apporte un grand réconfort. Il se familiarise très vite avec l'odeur de son papa, méconnue avant la naissance.

L'ouïe

Les études confortent les expériences des mères qui constatent l'apaisement de leur bébé dès qu'elles leur parlent, qu'elles chantent. Tous les pays du monde ont leurs berceuses. Chez les prématurés, il est démontré que le rythme respiratoire et le rythme cardiaque se régularisent au son de la voix maternelle, mieux qu'avec la voix d'une soignante ; cette dernière apaise cependant mieux le bébé qu'une voix enregistrée[5]. Attention aussi à ne pas «surstimuler» le bébé en lui infligeant des stimuli trop fréquents ou trop intenses qui le déstabilisent.

La vue

L'influence de la vue sur le bien-être du nourrisson a bien été montrée dès la naissance. Le nouveau-né est comme fasciné par le visage humain, qu'il séduit et dont il peut imiter les mimiques dès les premiers jours de vie. Ce sens inconnu de lui durant la vie fœtale est une grande découverte pour le nouveau-né, qui va savoir l'exploiter au mieux pour son bien-être. Mais attention à ne pas l'éblouir par une lumière trop vive, qu'il ne peut supporter, et mettons-nous à bonne distance pour le rencontrer.

Le respect des rythmes

Nous analyserons l'alternance veille/sommeil du nouveau-né dans le chapitre « Sommeil et rythme ».

Ce rythme est, lui aussi, en continuité avec son vécu intra-utérin. Il faut du temps pour qu'il se cale progressivement sur celui de l'adulte. Or nous sommes très impatients et peu enclins à respecter ce rythme si différent du nôtre. C'est donc un travail d'adaptation important pour les parents comme pour le nouveau-né, afin de trouver le « tempo », le *modus vivendi* qui convient à tous. Mais soyons patients, pour le bien-être du bébé, c'est aux parents de s'adapter et non le contraire, le nourrisson devant déjà intégrer tant de nouvelles données !

À la maman de se reposer quand il dort, de proposer la tétée ou le biberon quand il est éveillé, de bien reconnaître ses différents stades d'éveil et de sommeil ; ne pas confondre, par exemple, colique et sommeil agité. Que ses grimaces faites pendant les rêves ne soient pas interprétées comme des tétées insuffisantes. N'attendez pas, en revanche, que bébé pleure pour proposer de le nourrir, au sein ou au biberon, soyez attentive aux petits signes d'éveil : la main qui cherche, le regard qui s'accroche au visage, les mouvements de succion. Les plages de sommeil ne sont pas très longues au début de la vie, les nuits sont interrompues plusieurs fois. Les journées ne se ressemblent pas durant les premières semaines, chacun cherche ses repères. Il faudra plusieurs mois avant de trouver un rythme commun, apporté progressivement par l'alternance jour/nuit et par le rythme propre à chaque famille.

Les pleurs du soir vont parfois être tenaces et envahissants, entre deux et quatre mois, et il faudra beaucoup de patience et d'imagination pour trouver les moyens d'apaiser et de supporter cette période souvent difficile pour toute la famille, parfois même aussi pour les voisins. Si c'est l'été et qu'il fait beau, ce peut être le bon moment pour une promenade, au retour du travail de papa, pour promener en même temps le chien, ou pour donner le bain, ou écouter de la musique, chanter, danser, appeler la grand-mère… À vous d'explorer tous les petits moyens qui aident chacun à retrouver le bien-être. Si c'est difficile, faites-vous aider. Trouvez la personne de ressources qui contribuera à vous apaiser et à vous soutenir. Ce n'est pas facile d'être avec son bébé vingt-quatre heures sur vingt-quatre pendant plusieurs semaines, cet «intrus» qui vient bousculer si profondément notre vie et nos habitudes!

La proximité maternelle

Avez-vous déjà regardé de près un animal avec son petit? Habitant à la campagne dans un village, j'ai eu l'occasion d'observer, pendant de longs moments, une jument et son tout jeune poulain. Ils ne se quittent pas, chaque pas de l'un est suivi du même pas de l'autre, ils sont calqués l'un sur l'autre, dans un mimétisme sans faille. Chez plusieurs espèces, si le petit est touché par un intrus ou séparé de sa mère, il sera délaissé et mourra.

Nous avons subi, durant plusieurs décennies, le modèle et le diktat de la séparation précoce, soutenus par le principe et l'idée de l'autonomie. Quelle aberration! Quels dégâts!

C'était une négation totale des besoins fondamentaux du nouveau-né humain, même s'ils sont un peu différents de ceux des bébés animaux. Dès la naissance, le bébé était placé dans son berceau. Après un séjour médical sur une table de réanimation, il était installé dans une pièce à part, de l'autre côté d'une vitre ou dans une nursery, «pour que la mère se repose»; dès le retour à la maison, il était placé dans sa chambre, parfois au fond du couloir pour que les parents dorment mieux la nuit, avec un baby phone, tout de même, pour l'entendre s'il pleurait trop ou s'il était vraiment trop loin. Le modèle de la nursery la nuit pour le repos maternel perdure dans certaines maternités; la recommandation, pour la sécurité et la prévention de la mort inopinée du nourrisson, de le faire dormir dans la chambre parentale suscite encore beaucoup de réticences. Or toutes les études sur les adaptations néonatales, sur la physiologie du nourrisson et sur l'attachement démontrent maintenant l'importance de la proximité maternelle. Le nid du nouveau-né, c'est le corps de sa mère, nous dit Nils Bergman, pédiatre sud-africain.

Le peau à peau

De nombreuses études valident les bienfaits du peau à peau pour la mère et le nouveau-né et pour ses adaptations néonatales[7].

··

Les bienfaits du peau à peau

- La température est maintenue de façon optimale, la chaleur et l'hydratation du corps maternel sont transférées au corps du nouveau-né.

- L'adaptation cardiaque et respiratoire est facilitée, l'oxygénation est améliorée.
- Les cris et pleurs sont limités.
- La douleur est diminuée.
- Les dépenses énergétiques sont économisées.
- L'alimentation est facilitée, le bébé va plus facilement vers le sein.
- Il favorise le bon fonctionnement du système digestif et aide à la résolution de l'ictère.
- La rencontre avec sa mère, son père, est facilitée : il lève les yeux vers eux.
- Bébé retrouve les sensations du toucher, de la proprioception et la motricité sur le corps maternel.
- Il retrouve l'odeur et la saveur maternelles.
- Il retrouve le bruit du cœur maternel.
- Les cycles éveil/sommeil, une meilleure organisation du sommeil sont facilités.
- Le contact peau à peau favorise le développement neurologique du nouveau-né.
- Il colonise la peau du bébé et son tube digestif avec les germes maternels.
- Il stimule et déclenche les hormones maternelles, en particulier l'ocytocine, hormone de l'allaitement et de l'attachement.
- Il facilite l'allaitement maternel.

....

Le peau à peau déclenche une émotion intense chez la mère et le père, facteur majeur d'attachement. À plus long terme, les bénéfices sont également prouvés, notamment sur les pleurs, l'organisation du sommeil, la durée de l'allaitement et la diminution de la dépression postnatale. Chez le prématuré, les résultats sont encore plus probants sur tous ces points. Ce contact physique intime entre bébé et parents bouleverse en profondeur l'entrée dans la parentalité et les relations futures de cette nouvelle famille.

Le portage

Le portage, par la verticalisation, évite les désordres digestifs habituels : le petit rot tant attendu est facilité, le contact corps à corps procure un véritable massage abdominal du bébé, favorisant sa motricité digestive ; les régurgitations sont moins fréquentes, le fameux reflux pourra souvent être ainsi évité.

Quant au rythme éveil/sommeil, les avantages sont indéniables : on constate plus d'éveils, plus de sommeil.

La fameuse plagiocéphalie, aplatissement de la partie postérieure de la tête favorisé par le couchage sur le dos, sera évitée aussi grâce à cette position.

Tous les petits signaux du bébé seront vite repérés et mieux compris.

Le lien parent-enfant, la stimulation des échanges sont favorisés, dans un immense plaisir mutuel.

Sans oublier l'aspect pratique : aller partout facilement, à la ville comme à la campagne ou la montagne, à condition de s'équiper d'un matériel adapté et bien utilisé.

Chaque parent va trouver, en tâtonnant, ses propres réponses et ses propres modalités selon une subtile alchimie avec son enfant.

« Plus le nid est douillet, plus les ailes seront grandes pour voler. »

CHAPITRE
4

Bébé nous parle…
sans
les mots

«Nous avons pu voir à quel point il est
un être social et semble prédisposé
à l'interaction avec ses parents depuis
la naissance, en sollicitant chez eux la qualité
de soins nécessaire à son adaptation.»

T. BERRY BRAZELTON ET J. KEVIN NUGENT

L e langage verbal est notre principal mode de communication. Il est cependant loin d'être le seul et nous en possédons bien d'autres, l'écriture, le dessin, la peinture, la musique, la danse, et toute notre gestuelle, nos mimiques qui accompagnent nos mots. Le nourrisson mettra plusieurs années avant de s'exprimer clairement par la parole, et nous avons certainement beaucoup négligé ses autres moyens d'expression et de communication. Nous les explorons ici en détail, afin de mieux saisir ce que le bébé veut nous dire, de le comprendre et de répondre à ses besoins, sans attendre qu'il pleure pour être attentif à ses demandes.

LES MOYENS D'EXPRESSION DU BÉBÉ

Les pleurs des bébés sont leur seul moyen d'expression, entend-on dire très souvent. Eh bien non. C'est leur seul moyen verbal, et encore. C'est oublier tous leurs gazouillis, babillages et autres vocalises, si riches dès les premières semaines. C'est surtout ne pas prendre en compte toute la richesse de l'expression non verbale, manifestée par le corps, les attitudes, les mimiques, que les experts en communication connaissent très bien d'ailleurs, et qui en disent souvent beaucoup plus que les mots. Le bébé communique avec nous par son corps, sa gestuelle, ses mouvements. Il n'a rien appris encore, il nous parle avec un langage universel, exprimé par tous les bébés du monde, et compris par tous ceux qui savent y être attentifs. Il nous livre des messages spontanés, innés, vrais, qui viennent de la profondeur de son être. Ces messages que nous transmet ce petit corps sont destinés à être reçus par ceux qui prennent soin de lui, l'aident à vivre et à grandir. Ces appels, bien reçus par l'entourage, permettent de répondre au mieux à ses besoins vitaux fondamentaux.

Si nous sommes aveugles aux petits appels du corps, aux petits signes d'inconfort, de mal-être, de besoins d'aide, le nouveau-né aura recours à des signaux de plus en plus forts, qui conduiront aux pleurs, paroxysme du signal d'alarme pour dire : « J'ai vraiment besoin de toi, viens à mon secours, ou arrête de faire ce que tu étais en train de me faire. » Il vaut donc mieux considérer les signes en amont, le plus tôt possible, et ne pas attendre l'escalade qui conduit aux pleurs. Et imaginez sa détresse si l'on ne répond même pas à ses pleurs, ultime appel à l'aide, comme si le bébé avait face à lui non seulement un aveugle, mais aussi un sourd profond ! Vous comprendrez aussi maintenant que, lorsque votre nouveau-né vous montre tous ces signes corporels, et qu'il va jusqu'à pleurer, il n'est pas un « manipulateur » comme on l'entend encore beaucoup ; il n'est pas « capricieux » ou « difficile » ; il n'est pas « nerveux » s'il s'agite beaucoup ; il n'est pas « paresseux » s'il a du mal à boire ; il n'est pas « angoissé » lorsqu'il sursaute souvent. Ce sont nos projections et nos interprétations d'adulte. Le bébé nous montre seulement qu'il n'est pas à l'aise, que quelque chose l'empêche de réaliser ce que nous souhaiterions, que ce n'est pas le bon geste, le bon moment, la bonne position, qu'il a un autre besoin à ce moment-là, et qu'il faut trouver une solution, souvent en tâtonnant d'ailleurs.

Nous allons apprendre à mieux connaître ces signes, ces gestes d'appel à l'aide, et nous pencher de plus près encore sur ce berceau pour y voir et y saisir le sens des signaux qu'il nous envoie, nous permettant peut-être d'y apporter les meilleures réponses, ou les moins mauvaises. Telle réponse ne correspondra pas automatiquement à tel signal. Chaque bébé a ses codes de communication, et chaque mère, chaque père, aura sa réponse. Certains parents la trouveront facilement ; pour d'autres, ce sera plus long, plus difficile. Ainsi se construira une subtile alchimie entre ce bébé-là et cette mère-là, ce père-là. Le père et la mère seront souvent complémentaires pour construire cette alchimie.

L'entourage ne sera là que pour donner un trousseau de clés plus ou moins garni, dans lequel chaque parent piochera pour trouver la ou les clés qui pourront l'aider. C'est le rôle des soignants en maternité, mais surtout en néonatologie, lorsque l'enfant est malade ou prématuré. Mais n'en faisons pas trop, proposons le minimum, et vous, parents, ayez confiance en vous. Notre rôle de soignants est surtout de vous libérer des peurs, afin que vous ayez des yeux pour voir ce que votre bébé va vous montrer et des oreilles pour entendre ce qu'il va vous dire. Vous devenez alors les meilleurs observateurs et les meilleurs décodeurs de votre enfant et trouvez les meilleures réponses, surtout si vous vous sentez soutenus avec bienveillance par votre entourage.

Nous avons beaucoup progressé dans l'exploration des signes que nous envoie le bébé grâce à un grand pédiatre américain, T. Berry Brazelton, qui a passé sa vie à finement observer les bébés. En examinant les nouveau-nés et les jeunes bébés, il a cherché à mettre en évidence leurs meilleures compétences pour les révéler aux mères et à ceux qui prennent soin d'eux. Parmi tous ses écrits et publications, il a réalisé une « échelle d'évaluation du comportement néonatal » dite « échelle de Brazelton[1] ». Elle ne vise pas à mettre une note à ce nouveau-né ni à lui faire passer des tests ou un examen afin d'évaluer un avenir plus ou moins brillant ! Elle incite à observer très finement les moindres gestes, attitudes, mimiques, réponses aux stimulations, puis à répondre au mieux aux besoins de ce bébé-là, à ce moment-là, pour lui apporter le confort et la sécurité dont il a besoin. Et d'exprimer au mieux ses compétences : être éveillé au monde, regarder, entendre, rencontrer et interagir avec ses figures d'attachement, se nourrir, s'adapter, grandir, explorer.

UNE RÉVOLUTION DANS LES SOINS AUX NOUVEAU-NÉS

Une psychologue de l'université Havard, Heidelise Als, observant le stress des prématurés en réanimation face aux moyens techniques exigés pour leur survie, a adapté la grille d'observation de Brazelton à ces bébés[2]. Ce fut le point de départ d'un nouvel élan dans les soins en néonatologie, de nouvelles pratiques que l'on a appelées «révolution de velours». Un programme de soins, NIDCAP (programme de soins de développement individualisé et d'évaluation comportementale du nouveau-né), a été mis en place à partir de la théorie dite «synactive» – qui interagit – élaborée par Heidelise Als, montrant l'importance et l'interaction de tous ces signaux. Ce programme est largement appliqué dans les pays anglo-saxons et scandinaves depuis 1982, date de sa première publication, impliquant les parents et améliorant grandement le bien-être des bébés en réanimation et en néonatologie. Il est de plus en plus mis en pratique en France sous le terme de «soins de développement» dans nos services de néonatologie, et cette nouvelle philosophie bienveillante des soins s'appuyant sur les parents s'étend maintenant aux maternités.

Nous nous fondons sur cette grille d'observation, classée en cinq systèmes qui interfèrent, pour décrire les signes d'organisation ou de désorganisation du bébé, que nous pouvons appeler aussi signes de bien-être ou de mal-être, signes de confort ou d'alerte.

LES 5 TYPES DE SIGNAUX QUE NOUS ENVOIE LE BÉBÉ

Les signaux les plus «rudimentaires», émanant du système dit «végétatif»

Les signes les plus archaïques, les seuls dont disposera le grand prématuré pour nous parler, pour nous dire son bien-être ou son inconfort, émanent du système végétatif, appelé encore système autonome, siégeant dans le cerveau primitif.

C'est le système dit sympathique ou parasympathique, appelé aussi vagal, qui régule nos fonctions vitales. Le système sympathique est activateur des fonctions vitales et il est déclenché notamment par le stress ; le parasympathique provoque un ralentissement général des fonctions de l'organisme afin d'économiser l'énergie. Ce système fonctionne automatiquement et n'est pas soumis à la volonté. L'environnement et les émotions vont l'activer (vous connaissez le malaise vagal à l'occasion d'une grande émotion, par exemple).

Le bébé, prématuré surtout, mais aussi celui à terme, nous montre qu'il est stressé par des modifications de ses rythmes respiratoire et cardiaque, qui deviennent irréguliers, trop lents, trop rapides, anarchiques ; ce peut être une modification de la tension artérielle, de la coloration, il est tout à coup très pâle ou très rouge. Ces symptômes surviennent également chez les adultes en cas de stress, nous les connaissons bien. « Je le vis, je rougis, je pâlis à sa vue, un trouble s'éleva dans mon âme éperdue », dit Phèdre. Ce sont des régurgitations, de la diarrhée, des signes digestifs et abdominaux, ce sont tous ces indices de stress que nous connaissons de mieux en mieux et dont l'influence est si délétère sur notre santé et notre bien-être. Ce sont aussi des marques plus subtiles et souvent mal interprétées : le hoquet, les éternuements, les bâillements. Tous les bébés présentent ces signes ; le hoquet existe même *in utero*, bien ressenti par la femme enceinte, la réveillant lors des réunions un peu trop longues ! Mais si, au cours d'un bain par exemple, le bébé déclenche un hoquet, des bâillements ou des éternuements, il vous dit : « Je pense qu'il est temps d'arrêter, je commence à en avoir assez de tout cela. » Il a besoin d'être réchauffé, regroupé, pris dans les bras, bercé, dorloté.

Les signes moteurs

Les manifestations motrices complètent les signes précédents : de façon un peu plus élaborée, le bébé va se servir de sa motricité et de ses réflexes pour nous signifier son état. S'il n'est pas bien, il aura des gestes plus anarchiques, brutaux, une hypertonie manifestée par des bras et des jambes qui se tendent, des orteils qui se crispent, des poings qui se serrent, parfois même tout le tronc qui se cambre et se tend en arrière. Il peut présenter des sursauts brusques, des mouvements saccadés ; un geste avec une main sur le visage et l'autre bras tendu, comme repoussant la personne présente, est très souvent observé lors d'une pesée par exemple. Parfois, c'est au contraire un bébé plus apathique qui vous signifie son désordre intérieur.

L'organisation de l'éveil et du sommeil

Le troisième groupe de signaux se situe dans l'organisation de l'éveil et du sommeil. Nous connaissons de mieux en mieux, bien que très incomplètement, les mystères du sommeil du bébé (nous le détaillerons dans le chapitre 7). Le bébé qui dort trop, le bébé qui ne dort pas assez, celui chez qui il est difficile de distinguer les différentes phases de sommeil ou d'éveil, qui pleure beaucoup, est irritable, inconsolable, nous interpelle et demande notre aide. Les pleurs en sont le signe d'alarme le plus intense, nous les explorerons également dans un autre chapitre.

Les signes d'attention et d'interactions

Le quatrième groupe de signes montre l'attention et les interactions que le bébé est capable d'avoir avec son interlocuteur ; les signaux sont de plus en plus élaborés et riches au fil du développement de l'enfant, du prématuré au bébé de plus en plus âgé. Car le regard du bébé, quand il est bien présent, interrogateur, voire inquisiteur, nous donne la mesure de sa présence dans un confort et un bien-être permettant des échanges riches : cette synchronie décrite par Ruth Feldman, cette danse du regard, du babillage, entre la mère et son enfant, où l'on ne sait plus lequel a commencé dans ce va-et-vient[3]. Même chez le tout petit prématuré, de magnifiques échanges existent, favorisés par le peau à peau, ce regard qui sonde, cette main qui cherche le contact par la caresse, l'agrippement.

Mais si bébé se fatigue, se désorganise, le regard devient flottant, hagard, vitreux, jusqu'à paraître paniqué. Des mouvements oculaires incoordonnés peuvent apparaître. Toute interaction devient impossible. Il faut alors arrêter les stimulations, ou changer la position du bébé, le remettre en peau à peau, ou dans un cocon, ou tout simplement diminuer la lumière, les sons. Ce sont toutes ces petites attentions qui lui permettent de retrouver un état plus confortable, de se remettre de ses émotions, de sa désorganisation, de son stress.

L'autorégulation

Le cinquième groupe de signes est celui que l'on nomme l'autorégulation. Ces ajustements qu'il réclame et que l'entourage tâche de lui apporter pour le soulager, le bébé tente dans un premier temps de les trouver lui-même : il essaie de changer de posture, de s'agripper (réflexe du *grasping*), porte sa main au visage et à la bouche, comme il le faisait dans le ventre maternel, utilise son réflexe de succion, émet quelques roucoulements ou pousse des gloussements, mettant sa bouche en O, allant jusqu'au cri. Il cherche un appui plantaire.

Cela aussi peut attirer l'attention de l'adulte qui prend soin de lui et amener un petit geste complémentaire qui sera alors suffisant pour apaiser l'enfant et lui faire retrouver un état de bien-être. Vers 6 mois, lorsque le bébé tentera de s'endormir seul, sevré de l'omniprésence parentale, il pourra s'aider de son pouce, qu'il saura trouver ou enlever seul, et s'aidera également de son doudou, le fameux objet transitionnel.

COMMENT RÉPONDRE À SES SIGNAUX

Les gestes qui peuvent conforter un nouveau-né sont multiples. Brazelton les a bien décrits en étudiant la « consolabilité » du bébé. Devant l'un des signes d'inconfort décrits précédemment, une stratégie d'apaisement peut être proposée, en allant du plus simple au plus complexe. Pourquoi avoir recours d'emblée aux ressources ultimes alors que des moyens plus simples pourraient suffire ?

Ainsi, les premiers remèdes peuvent être le regard si l'enfant est apte à le recevoir à ce moment-là. Sinon, ce sera la voix. Le bébé reconnaît et préfère dès les premiers jours la voix de sa mère et de son père plutôt qu'une autre voix humaine, qu'il préfère cependant à une voix enregistrée. Toutes les mamans de la terre ont chanté des berceuses pour calmer leur bébé. Ce peut être aussi un simple geste du toucher : poser la main sur le corps, la tête, exercer une douce pression englobant l'enfant, l'envelopper d'un lange, lui replier les membres, le rassembler, lui permettre de retrouver la position fœtale.

Attention à ne pas faire de gestes qui « surstimulent » ce bébé, qui a besoin au contraire de retrouver la paix. De nombreux adultes, croyant bien faire, lui caressent gentiment la joue, le front, la main ou le pied. Ce geste est alors perçu par le bébé qui ne s'y attend pas comme une excitation désagréable qui le fait sursauter et aggrave son stress. Imaginez que vous faites la sieste dans l'herbe en été après un pique-nique. Tandis que vous êtes dans une douce rêverie, un intrus vient vous chatouiller la joue avec un brin d'herbe. Vous sursautez immédiatement et vous lui en voulez de rompre ce moment si plaisant.

Poursuivons nos gestes d'apaisement. Si tous les précédents remèdes ont échoué, nous passerons à la vitesse supérieure et proposerons un contact plus étroit ; nous prendrons le bébé dans les bras, horizontalement, puis verticalement, en mettant sa tête dans notre cou, en y associant, s'il le faut vraiment, le bercement, puis le déplacement, tout en chantant. Finalement, si tout cela ne suffit pas, nous attraperons sa menotte pour l'aider à mettre sa main ou son doigt dans la bouche, et si cela ne suffit pas encore, nous prendrons le nôtre, et enfin une tétine, un biberon ou le sein. Vous voyez que la succion, avec le doigt, la tétine ou le sein, est l'ultime recours pour le bébé. Si vous lui mettez une tétine dans la bouche dès la moindre alerte, voire en permanence avant toute demande, vous court-circuitez tous les autres petits moyens qui auraient peut-être suffi à l'apaiser.

En utilisant immédiatement l'« artillerie lourde », si je puis m'exprimer ainsi, vous le privez de toutes les ressources qu'il a en lui-même et en lien avec le corps maternel, vous le privez de l'utilisation de sa sensorialité, de sa motricité, de ses réflexes pour trouver refuge avec le regard, la voix, le parfum maternel, son bercement, son portage, son contact corporel ; vous utilisez la seule ressource du réflexe de succion du bébé, alors qu'il en possède tant d'autres, tellement riches, subtiles, en contact étroit avec sa mère. Le recours à ces ressources variées donne à une mère et à son enfant cette richesse d'interactions, cette alchimie interactive si merveilleuse.

Ma devise de pédiatre

Vous, surtout, les mères, avez souvent un sixième sens pour ressentir, au fond de vous, le message lancé par votre bébé. Je vous livre cette histoire vécue qui m'a beaucoup touchée, révélatrice de cette sensibilité tout à fait particulière des mères vis-à-vis de leur bébé.

Lors de mon séjour en maternité pour mon deuxième enfant, j'ai partagé ma chambre avec une autre maman qui venait de mettre au monde son bébé. Le personnel était très désagréable, voire maltraitant avec cette mère, que les soignants traitaient de « casse-pied » ou autres mots déplaisants lorsqu'ils entraient dans la chambre, la trouvant harcelante. Mon amie Odile, marraine de mon premier enfant, interne en pédiatrie à l'hôpital Necker-Enfants malades, en me rendant visite, parle avec cette mère. Quinze jours plus tard, elle me téléphone et m'annonce qu'elle vient de l'admettre à l'hôpital, son bébé est en décompensation d'une malformation cardiaque et doit être opéré en urgence. Il a une coarctation de l'aorte, malformation que nous recherchons systématiquement à l'examen pédiatrique en palpant soigneusement le pouls fémoral dans le creux inguinal des nouveau-nés. Vous comprenez maintenant pourquoi nous faisons ce geste sur votre bébé !

Cette maman avait parfaitement senti qu'il se passait quelque chose avec son petit, mais n'avait pas été écoutée. Depuis, je dis toujours aux jeunes internes et aux soignants : « Écoutez les mères, observez les bébés. » Voilà ma devise de pédiatre.

Quelques mois plus tard, lorsque bébé grandit, sa communication avec son entourage s'est enrichie au fil des jours, et il va être capable de communiquer par des gestes de plus en plus précis, en attendant le langage verbal, plus tardif. À partir de 7 ou 8 mois, il va pouvoir imiter les gestes signifiant sa demande ou son message ; par exemple, dès cet âge, il peut vous dire au revoir d'un geste de la main lorsque vous vous quittez. Une langue des signes des bébés, en partie commune avec celle des sourds, a été élaborée. Enseignée aux parents et aux bébés, elle leur permet de s'exprimer par les gestes avant les mots, améliorant la communication et évitant colères et pleurs, car ils sont mieux compris. Cette méthode connaît un grand succès aux États-Unis et commence chez nous à pénétrer le monde de la petite enfance[4].

Ainsi, l'observation attentive du bébé nous permet de mieux le comprendre et de mieux répondre à ses besoins. C'est vous, les parents, qui êtes les meilleurs observateurs, si vous avez confiance en vous et êtes libérés de vos craintes de ne pas savoir, de ne pas parvenir à être de bons parents. C'est vous qui trouvez les meilleures réponses et procurez le meilleur confort, le meilleur bien-être pour votre bébé. C'est vous qui tâtonnez pour faire surgir les ressources que vous possédez en vous-mêmes et vous qui apportez à votre bébé la sécurité, source d'attachement et de développement.

CHAPITRE
5

Les pleurs
des nouveau-nés

«Je n'ose pas dire que je me sens si mal, allongée,
avec un tout petit enfant plaqué contre moi
et qui hurle de rage et qui pleure de faim.
Seules, nous sommes si seules,
l'enfant et moi.»

GENEVIÈVE BRISAC

Universelle question des mères et de leur entourage : mais pourquoi mon bébé pleure-t-il, et comment arrêter ces pleurs ? C'est tellement difficile à supporter !

Nous allons analyser les divers motifs invoqués, à tort ou à raison, et tenter de discerner, parmi ce « fatras » d'explications, ce qui peut réellement déclencher ces pleurs ; tentons de faire la part entre les idées reçues, les croyances, et les vraies raisons que trouve un bébé pour pleurer. Et il y en a beaucoup !

LA FAIM

Une peur viscérale

Lorsque nous demandons à tout un chacun, qu'il soit jeune parent, grand-parent expérimenté ou professionnel de santé compétent, pourquoi les bébés pleurent, la première raison invoquée est la faim. Le tube digestif vide de ce bébé qui crie famine en serait donc la première et grande cause.

Mais regardons de plus près cette croyance ancrée dans notre inconscient personnel et collectif : le bébé est réduit à un tube digestif qui doit se remplir et se vider régulièrement, et ce remplissage gastrique lui apportera paix et sommeil. Les expressions populaires évoquant la faim, le besoin de manger, l'appétit, les repas, la façon de se nourrir sont de trois ordres :
- la mort : je meurs de faim, j'ai la dalle ;
- la monstruosité ou l'animalité : il mange comme un ogre, comme un cochon, une faim de loup, un appétit d'oiseau, il mangerait un curé et sa soutane ;

– le plaisir également : pour faire la fête, on organise un festin, un banquet, une petite bouffe ; pour les enfants, des frites, un McDo...

La maman qui vient de mettre au monde un bébé éprouve, au fond d'elle-même, la crainte viscérale, ancestrale, archaïque, que son bébé ne meure, et qu'il ne meure de faim. Cela, ancré en chaque être humain, ne s'explique pas ; la vie et la mort sont liées comme les deux faces d'une pièce de monnaie. Toutes les mères de famille se trouvent frustrées, désemparées, anéanties dans leur maternité devant un enfant qui ne mange pas. Nous en avons toutes fait l'expérience ; le vivre et le manger sont indissociables.

Cela explique peut-être, en partie du moins, cette première interprétation des pleurs des bébés, qui émerge et domine de très loin toutes les autres. Nous gardons peut-être en nous la trace de l'époque lointaine où l'accès à la nourriture était aléatoire et où il fallait saisir les occasions quand elles se présentaient pour en profiter pleinement et faire des réserves pour des jours incertains.

Or le nouveau-né a-t-il faim dès les premiers jours de vie ? Souvenons-nous que, à travers l'histoire de l'humanité et dans la plupart des pays du monde, pour de multiples raisons ou croyances, les bébés n'étaient pas alimentés durant le ou les premiers jours, et ils ne pleuraient pas plus. Soulignons aussi à ce propos les différences majeures de durée des pleurs des bébés à travers le monde : nous battons des records ; ce n'est pourtant pas faute de leur donner à manger !

Nous confondons également besoin de manger et besoin de téter : devant le bébé qui porte la main à sa bouche et tente de téter, en s'agitant de plus en plus parfois, nous pensons :

il a faim, alors qu'il nous montre simplement qu'il est bien éveillé, a un bon cerveau, une bonne neurologie, avec un très bon réflexe de succion qui lui permet effectivement de survivre au mieux, y compris en s'alimentant; quand il nous montre cela, c'est donc le bon moment pour lui proposer de téter, au sein ou au biberon; mais ce n'est pas parce qu'il a faim; c'est parce qu'il est en éveil et particulièrement compétent à ce moment-là pour se nourrir, et il est bon d'en profiter pour que cela se passe au mieux.

La faim : un alibi injustifié

Le bébé à terme, bien portant, qui a bien chaud, est équipé biologiquement pour survivre sans beaucoup s'alimenter durant les deux à trois premiers jours de vie. La physiologie a prévu seulement quelques gouttes de colostrum afin que son tube digestif s'adapte très progressivement à ses nouvelles fonctions avant la « montée laiteuse » et le flux de lait qui jaillira à chaque tétée quelques jours plus tard. Nous détaillons tout cela dans le chapitre « Adaptations et besoins fondamentaux ».

Vouloir lui donner des quantités plus importantes de lait dès les premiers jours pour qu'il ne perde pas trop de poids est une aberration. Il perdra obligatoirement de l'eau et des calories. Il vaudrait mieux lui faire faire des économies d'énergie en maintenant sa température, qu'il soit bien au chaud, éviter les déshabillages, les manipulations multiples, les bains, les pleurs; ce sont ces circonstances qui aggravent les dépenses d'énergie, donc la perte de poids. Plutôt que de vouloir le gaver pour prendre du poids, évitons les dépenses inutiles d'énergie et protégeons ses ressources.

Après quelques jours de vie, il aura certainement soif et faim s'il ne mange pas ; alors peut-être pleurera-t-il pour cette raison ; mais peut-être aussi se repliera-t-il dans le sommeil et l'inertie afin d'économiser au maximum son énergie pour sa survie. Ainsi, si votre bébé nourri au sein est « très sage » entre 5 et 15 jours de vie, ne se réveille pas spontanément six à dix fois par jour, fait ses nuits, boit très peu, n'a pas beaucoup de selles et ne pleure pas, il sera prudent de consulter un médecin, il s'est mis en sommeil pour survivre avec le moins de dépenses possible.

Voilà donc comment nous pouvons reconsidérer la relation entre pleurs et faim chez le nouveau-né ; pour résumer, et en étant un peu simpliste, le nouveau-né ne pleure pas parce qu'il a faim les premiers jours ; et les jours suivants, s'il n'a pas été suffisamment nourri et ressent de la faim, il risque de ne plus pleurer et d'être plutôt endormi, et là, attention danger ! Plus tard, après le premier mois, un rythme pourra commencer à s'installer en se réglant en partie sur les prises alimentaires, mais cela n'est pas prouvé au début de la vie. Les études ont montré qu'il n'existait aucun parallèle entre durée de sommeil et remplissage gastrique les premiers jours de vie.

LES COLIQUES : L'ARBRE QUI CACHE LA FORÊT

Restons dans le tube digestif et poursuivons notre exploration du vaste domaine d'explication des pleurs dans notre société : les coliques.

Ce mot est lui aussi dans toutes les bouches – parents, entourage, soignants –, et ce particulièrement en France, semble-t-il. D'autres cultures traduisent leurs peurs par d'autres mots, d'autres craintes (le mauvais esprit, par exemple).

Voyons de plus près ce que recouvre ce diagnostic de colique : le bébé fait des grimaces, se tortille, « s'énerve », se réveille tout à coup en pleurant, est difficilement consolable, s'agite. Il a des gaz, émet des pets, et s'apaise si quelqu'un lui caresse le ventre. Mais il ne se calme pas toujours dans les bras secourables !

Cette description correspond aussi exactement à celle d'un bébé qui ressent une douleur, et pas spécifiquement au niveau de l'abdomen. Aussi avons-nous substitué la notion de douleur à celle de colique : toute douleur, tout inconfort du nouveau-né ne peut venir que de son tube digestif. La colique est l'arbre qui cache la forêt des multiples désagréments que peut éprouver un bébé. En y plaquant ce mot, nous nous empêchons de nous poser les vraies questions : où peut-il avoir mal, que ressent-il de désagréable, quel inconfort, quel manque, que veut-il vraiment me dire ? Y mettre le mot colique, c'est fermer la porte à toute interrogation sur les vrais besoins de ce bébé en plein désarroi.

....

Une histoire typique de «colique» en maternité

À mon arrivée à la maternité, un matin, on me signale un bébé qui pleure beaucoup et qui a des « coliques ». La maman est sage-femme dans le service, a accouché la veille avec son amie sage-femme, toutes deux très compétentes. Je vais tout de suite féliciter la maman et j'examine attentivement ce bébé né sans problème. Je cherche où est la douleur (autre que colique !) et je découvre très rapidement une évidente fracture de la clavicule, peu grave, mais nécessitant une immobilisation afin de supprimer la douleur. Cela se termine dans une grande complicité souriante entre nos deux sages-femmes, l'une maman, l'autre accoucheuse, et la pédiatre. Et le bébé qui ne pleure plus.

••

LES AUTRES MANIFESTATIONS DIGESTIVES

Elles complètent l'interprétation des pleurs des nourrissons.

La couche sale

La présence de méconium, puis de selles, ou d'urine dans la couche, peut-elle gêner un nouveau-né ? C'est doux, c'est chaud, la peau de son siège non altérée ne peut être agressée par le contenu de la couche ; l'émission des selles et des urines d'un bébé en bonne santé n'est pas douloureuse, c'est fluide, ça coule tout seul. Notre esprit projette ici nos craintes : nous imaginons combien il doit être désagréable d'avoir des selles et des urines dans sa culotte, l'ayant d'ailleurs peut être expérimenté à l'occasion d'une bonne tourista (c'est plus chic que de dire « diarrhée ») et nous calquons ce souvenir ou cette représentation sur ce bébé tout neuf, qui n'a aucun *a priori* sur le sujet.

Bien sûr, il se calme si nous le changeons, confortant ainsi cette interprétation. Mais en le changeant, nous le prenons, lui parlons, nous nous occupons de lui, et c'est probablement ce qu'il cherchait. Plus tard, s'il a été habitué à être changé dès la première humidité ou souillure de la couche, il pourra exprimer sa gêne et la manifester par des pleurs éventuels pour cette raison, mais ce n'est pas le cas les premiers jours de vie, et nous nous contentons de cette explication, empêchant ainsi la recherche d'autres causes et freinant notre attention aux signaux que le nouveau-né émet.

Le reflux, les glaires

Dans les armoires de nos grands-mères, sur l'étagère « bébé », la pile la plus haute était composée de bavoirs. Des plus simples aux plus brodés, ils étaient une pièce maîtresse de l'équipement du nourrisson. De tout temps, dans tous les pays du monde, les bébés ont « crachouillé, bavé, régurgité ». Le rot tant attendu et qui réjouit l'entourage de notre bébé est souvent accompagné d'un petit « renvoi », et toutes les mères, nounous, grands-mères de tous les temps ont à portée de main le mouchoir, linge, tissu, torchon… pour essuyer ce petit débordement. Tout cela traduit le caractère physiologique, banal, habituel, bénin, de ces régurgitations du nourrisson, qui témoignent d'une étanchéité imparfaite du système digestif supérieur. La position allongée quasi permanente que nous faisons subir à nos nouveau-nés occidentaux accentue le phénomène, du simple fait de la pesanteur. Les bébés portés et, ainsi, en position verticale régurgitent beaucoup moins.

Parallèlement, analysons ce qui se passe en nous lorsque nous sommes stressés, agressés, que nous avons peur, que nous sommes en colère ; la première manifestation physique ressentie est d'ordre digestif : l'estomac noué, douloureux, nous avons mal au ventre, la diarrhée… La diarrhée motrice du combattant partant en guerre en est un exemple classique. À la veille d'un examen qui met en jeu notre carrière, avant un examen médical qui nous fait redouter une maladie, lors d'une émotion très intense, surtout négative, nous ressentons principalement des symptômes d'ordre digestif. Avant une intervention chirurgicale lourde, lors d'un séjour en réanimation, les médecins prescrivent un médicament antiulcéreux. Qu'en est-il du bébé qui vient de naître, débarquant dans ce nouveau monde qui ne lui épargne pas certains désagréments ? Il va ressentir le froid, les agressions liées à son accueil plus ou moins bienveillant, les manipulations, la lumière vive, les sons intenses... Ces interventions, outre le caractère dérangeant, voire agressif ou stressant pour lui, vont immédiatement engendrer des symptômes digestifs et accentuer, du même coup, cette tendance aux renvois et aux régurgitations. La pédiatrie française s'est focalisée durant les dernières décennies sur cette pathologie du reflux et nous sommes un pays particulièrement pourvoyeur en médicaments et moyens « antireflux ». Quel bébé n'a pas eu un lait épaissi, une position orthostatique (c'est-à-dire surélevée) avec parfois un matelas spécial, des médicaments antireflux dès le plus jeune âge ?

Bien sûr, les vrais reflux existent et méritent un traitement, mais nos interprétations, nos « soins », nos usages, notre maternage distal, nos principes éducatifs, toute notre puériculture pratiquée dès les premières minutes de vie de ce bébé n'ont-ils pas favorisé l'émergence de ces reflux ? Les études ont montré que les bébés à qui l'on impose une aspiration digestive à la naissance avec une sonde auront davantage de glaires que ceux que l'on dépose directement sur le ventre de leur maman, alors que l'on croyait les aider en aspirant leurs premières sécrétions. Ce geste agressif engendre des inconvénients supérieurs aux bénéfices escomptés. Il en est de même du bain à la naissance : d'abord prôné comme un moment de bien-être qui permet de retrouver le monde fœtal, de donner un rôle au père, ce bain entraîne surtout un refroidissement, des gestes qui déclenchent des pleurs, une agitation, conduisant ainsi à une perte d'énergie et à des effets secondaires liés au stress. Et, surtout, il sépare le bébé de sa mère, qui vient de le mettre au monde et dont la rencontre est un impératif, il empêche le trio mère-père-enfant de se découvrir dans le moment-clé de la vie qu'est la naissance ; nous y reviendrons longuement.

Nous voyons donc que les raisons digestives invoquées pour expliquer les pleurs des nouveau-nés sont principalement le résultat de mythes, de peurs, de projections, d'interprétations, d'une vision du « bébé tube digestif » et réduit à ce tube digestif : l'estomac suffisamment rempli, bébé sera calme et dormira plusieurs heures ; l'estomac vide, il sera affamé et pleurera. De plus, ce tube digestif a une lourde tendance à la pathologie : il fuit, cela remonte par le haut et fait très mal, et quand il se vide par le bas, cela entraîne forcément des coliques et des difficultés à sortir ; c'est trop dur ou trop liquide, trop fréquent ou pas assez, et cela dérange et l'enfant et sa mère. Cette vision inscrite dans notre esprit et dans notre société, ancrée dans le monde médical des pédiatres et des puéricultrices, est aussi le fruit d'une hypermédicalisation. Les soins médicaux, d'hygiène et de puériculture ont remplacé les transmissions familiales et fait perdre confiance dans la physiologie et la bonne marche des choses, et surtout dans la confiance des parents en eux-mêmes ; c'est la rançon à payer pour l'amélioration de la vie et de la survie des bébés et des mères au cours et décours de la naissance.

Le bébé n'est pas un simple tube digestif

En résumé : le bébé *n'est pas* un simple tube digestif qui se vide et se remplit, et souvent dans la douleur, selon notre représentation. Le bébé *a, parmi tous ses organes, un tube digestif*, qui, comme tous les systèmes du corps humain, peut présenter des défaillances, des imperfections plus ou moins graves. Comme tous les autres organes, il doit aussi s'adapter progressivement à ses nouvelles fonctions dans ce passage de la vie intra à la vie extra-utérine. Retenons que le tube digestif est un récepteur majeur du stress, et que plus nous en procurons au bébé, plus celui-ci risque effectivement de présenter de réels symptômes de mal-être digestif.

LA DOULEUR, UNE VRAIE QUESTION

Contrairement à ce que l'on a longtemps voulu croire, la douleur existe chez le nouveau-né, et même chez le prématuré et le fœtus. Cette douleur, longtemps méconnue ou négligée, est bien réelle, fréquente, et source de pleurs en période néonatale. Ce n'est que depuis les années 2000 qu'elle commence à être prise en considération, d'abord dans les services de néonatologie, puis, petit à petit, dans nos maternités[1]. Elle n'est pas uniquement d'origine digestive comme nous venons de le voir. Toutes les parties du corps, tous les organes, peuvent engendrer douleur et inconfort ; la naissance constitue une épreuve tout particulièrement susceptible de provoquer la douleur.

Ainsi, devant un bébé qui pleure, voici sans doute la première question à se poser : a-t-il mal quelque part, et où ?

« Mon bébé ne crie pas, est-ce qu'il va bien ? » Nous avons eu l'habitude, des années durant, d'entendre les bébés pleurer à la naissance. Pas seulement le premier cri, qui rassure tout le monde et signifie « Je suis sorti et bien vivant, vigoureux », mais aussi un cri ou des pleurs plus durables, ce que l'on considérait comme normal. Les parents s'habituaient alors dès les premières minutes de vie à entendre pleurer leur bébé, considérant qu'il s'agissait d'un phénomène obligatoire, à supporter comme tel, et qu'il faudrait bien s'y faire ! Sur leur lit de travail, les mères entendaient hurler, souvent dans la pièce voisine, un bébé que l'on aspirait, que l'on examinait sous toutes les coutures, pesait, mesurait, baignait, habillait. Tout cela durait environ une demi-heure et la vigueur de ses cris rassurait tout le monde, permettant de supporter ces pleurs et cette agitation.

Dans les maternités où ces pratiques ont été remplacées par un accueil du bébé sur le ventre de sa maman, en le manipulant le moins possible pour respecter son adaptation physiologique au nouveau monde qu'il découvre tout en assurant sa sécurité, nous n'entendons, le plus souvent, plus aucun pleur. Au point que certaines mères sont inquiètes et nous disent : « Mon bébé ne crie pas, est-ce qu'il va bien ? » Il n'est pas nécessaire de crier « pour faire ses poumons », comme on l'a si souvent entendu. Le nouveau-né déplisse ses poumons dès la première respiration, et pousse souvent un cri au contact de l'air froid, qui le surprend après les mois passés dans l'eau chaude, mais la respiration s'instaure immédiatement sans nécessiter cris ou pleurs. Seules des circonstances pathologiques particulières, telles que la prématurité, la naissance par césarienne parfois, ou l'accouchement dans un liquide amniotique très épais chargé de méconium, peuvent empêcher la bonne mise en place de cette respiration aérienne. Aussi avons-nous maintenant des bébés qui entrent dans la vie plus sereinement, évitant le cycle négatif du stress qui engendre des troubles et entretient ainsi les pleurs ; se crée ainsi le cycle « désir-plaisir » plutôt qu'« action-réaction ».

Où peut-il avoir mal à la naissance ?

Cependant, tout n'est pas toujours aussi merveilleux et serein. Dans les heures qui suivent la naissance, même s'ils ont été accueillis dans le calme et le respect de leurs adaptations physiologiques, les nouveau-nés peuvent présenter des pleurs persistants. C'est alors que la douleur doit être évoquée. Plutôt que de parler immédiatement de faim ou de coliques, il faut analyser et chercher les causes possibles de douleur en période néonatale ; et elles sont nombreuses. Un examen minutieux est nécessaire, comportant trois temps essentiels : les données objectives de la grossesse et de l'accouchement, l'écoute de la mère et l'observation du bébé.

L'écoute de la maman est essentielle, car c'est elle qui sent, sait mieux que quiconque si son bébé va bien. Ne collons pas l'étiquette de mère anxieuse, angoissée ; si elle l'est effectivement, c'est peut-être parce que son bébé pleure beaucoup et qu'il exprime un malaise ou une pathologie ; écoutons son vécu de la grossesse et de l'accouchement, il peut nous éclairer sur l'origine de la douleur du bébé.

Examinons aussi ce nouveau-né avec la plus grande attention. Ne pouvant parler avec des mots, le bébé s'exprime par sa gestuelle et son comportement. Une observation attentive et une approche en douceur permettent de détecter les signes qui orientent vers l'origine de la douleur ; puis l'argument de fréquence et la connaissance des circonstances de l'accouchement peuvent guider la recherche : s'il y a eu forceps, ventouse, accouchement long et difficile, nous portons d'emblée l'attention sur le crâne, à la recherche d'une bosse sérosanguine ou d'un céphalhématome, épanchement de sang dans l'épaisseur de la boîte crânienne, à l'extérieur du cerveau donc sans gravité, mais parfois spectaculaire et toujours douloureux. Le bébé peut présenter une asymétrie de position de la tête avec raideur, torticolis, conséquence d'une posture intra-utérine ou d'une sortie un peu « acrobatique ». Il peut avoir une fracture de la clavicule, même sans difficulté majeure lors de l'accouchement : lésion fréquente, bénigne et qui guérit le plus souvent sans aucune séquelle, mais qui n'est pas du tout éprouvée de façon banale par le bébé, qui souffre dès la moindre mobilisation de son bras.

Soulager la douleur même quand il n'y a pas de cause évidente

Parfois, rien n'est évident cliniquement pour expliquer pleurs et éventuelle douleur. Rien ne console ce bébé agité, souffrant manifestement de quelque chose, quelque part, mais qui reste indétectable. Il m'est alors arrivé, dans cette situation, après avoir essayé tous les moyens simples posturaux, en particulier le peau à peau avec sa maman ou son papa, de donner un antalgique, et, miraculeusement, quelques minutes après, le bébé était transformé : calmé, apaisé, détendu, il rencontrait le regard de sa mère ou de son père. Pour quiconque a l'expérience de la douleur, il s'agit bien de cela. Durant les deux premiers jours de vie, soyons

attentifs à soulager la douleur du nouveau-né : l'accouchement peut avoir été une épreuve douloureuse pour lui, et
nous n'en avons pas toujours la preuve, mais si un antalgique
peut le soulager, cela vaut la peine.

Utilisons davantage les échelles de douleur spécifiques
des bébés dans nos maternités et confions-en la gestion
aux mamans ; elles savent parfaitement en interpréter
les signes et fédérer tous les intervenants auprès du bébé
pour ensemble éviter de provoquer des douleurs par des
gestes inconsidérés ; outre les antalgiques, des mesures
de prévention toutes simples évitent les douleurs : limiter
les manipulations, immobiliser un côté douloureux,
positionner le bébé d'une façon particulière, l'envelopper,
le peau à peau... ; sensibilisés par les soignants aux signaux
douloureux de votre bébé, vous, parents attentifs, savez vite
les décoder et y répondre de la façon la plus adaptée, ne
restant plus stoïques, à supporter des pleurs intolérables et
désarmants. Ainsi est stoppé d'emblée le cycle infernal des
pleurs, comparable à celui de la douleur : plus ils existent et
demeurent, plus ils se manifestent et durent. Les services
de néonatologie orientés vers les soins de développement
ont placé les parents au cœur des soins des prématurés et
des nouveau-nés malades et ont constaté l'effet bénéfique
majeur de cette participation des parents considérés comme
les « meilleurs donneurs de soins » pour leur bébé. Le bien-
être des bébés et des parents en a été largement amélioré et
le lien d'attachement si malmené par les pleurs a été facilité
par ces soins parentaux[2].

Nous devons aussi prendre en considération une donnée
importante dans la physiologie de la douleur : plus elle

dure, plus elle sera difficile à éradiquer. C'est pourquoi il est important de la détecter et de l'enrayer au plus vite. De même, il est important de couper court à l'instauration d'un cercle négatif vis-à-vis de ce nouveau-né ; plus l'enfant est jeune, plus vite il est nécessaire de répondre à sa demande afin d'éviter que les pleurs soient de plus en plus difficiles à calmer et deviennent son mode quasi exclusif de communication pour dire : « J'ai besoin d'aide. » Nous verrons qu'il dispose d'autres moyens plus subtils, mais qu'il utilise préférentiellement le mode le plus intense que sont les pleurs si l'entourage n'est pas sensibilisé aux signes d'alarme plus modérés ou moins bruyants. Nous détaillons cela dans le chapitre « Bébé nous parle... sans les mots ».

S'il n'est pas trop débordé par la douleur ou la désorganisation, le bébé va puiser dans ses ressources internes pour se réconforter tant bien que mal. Il a des réflexes, que l'on dénomme « archaïques », qui lui servent d'appui pour se « retrouver », qu'il utilise pour se réconforter : le *grasping* est le réflexe bien connu et utilisé par toutes les mamans lorsqu'elles glissent leur doigt dans la main du bébé : il s'en saisit avec avidité pour se sentir mieux, ayant utilisé ce geste dans le ventre maternel durant des semaines : fœtus, il saisissait ses doigts, son cordon par exemple. La maman aide ainsi son bébé à s'apaiser. Nous comprenons pourquoi Sophie la girafe a tant de succès ! Le réflexe de succion est bien connu de tous aussi, mais souvent interprété comme un signe de faim alors qu'il est une preuve de la bonne neurologie du bébé. Il profite de ce réflexe, largement expérimenté également durant sa vie fœtale, pour se faire du bien, se retrouver comme au bon vieux temps de la vie intra-utérine.

Sa maman, ou son entourage, trouve souvent les gestes qui lui permettent d'utiliser ces réflexes ou ces ressources pour se sentir mieux: la flexion des membres et le repli du corps en position fœtale, le rapprochement de la main vers la bouche, l'enveloppement, le changement de position, le bercement, la voix, tous ces petits gestes faits spontanément par toutes les mamans du monde recréent le cocon protecteur connu dans le ventre maternel, dont le bébé garde l'empreinte corporelle et le souvenir[3].

Le froid, l'immobilité, la lumière, le bruit… de réelles raisons de pleurer!

Sorti brutalement de la chaleur du ventre maternel, notre nouveau-né éprouve alors de nouvelles sensations, loin du doux cocon jusqu'alors connu. Ses cinq sens sont mis à l'épreuve de la dure réalité du monde aérien.

Le froid est l'ennemi le plus important, nous l'avons détaillé dans le chapitre «Adaptations et besoins fondamentaux».

Si bébé est posé la majeure partie du temps dans un berceau, il va éprouver la position horizontale, l'immobilité, la raideur du plan du lit, contrastant avec la flexibilité, la souplesse, le bercement et l'apesanteur du monde aquatique dans lequel il était lové et contenu dans la paroi utérine. Les mouvements, si faciles auparavant, deviennent empêtrés par des vêtements qui l'engoncent. Ses mains, si douces à sucer jusqu'alors, deviennent difficilement accessibles, surtout si des moufles les cachent. Et ces mains qui sentaient si bon ont maintenant une odeur si différente!

«Me voilà manipulé dans tous les sens, déshabillé, tout nu, puis rhabillé. Que tout cela est désagréable!

Et puis tous ces bruits brutaux, ces portes qui claquent, ces éclats de voix dans la chambre autour de mon berceau, ces sonneries! Où suis-je donc tombé? Et ce silence que je ne connaissais pas. Et ma propre voix... Quelle découverte!

Et, comble de tout, cette lumière que je n'avais jamais vue, qui me vient droit dans les yeux et m'éblouit. Ils n'ont pas compris que je n'ai pas l'habitude de cela, moi qui vivais dans la pénombre!

Enfin, je venais de m'endormir, on me réveille et on me force à manger alors que je n'en ai pas envie. Et lorsque je suis prêt à téter, on me fait attendre.

Vous comprenez un peu mieux maintenant pourquoi je pleure? »

Ce sont là, surtout, les vraies raisons, et elles sont faciles à éviter. Il est donc plus facile maintenant d'envisager les bonnes réponses à ces pleurs et de savoir comment consoler bébé.

Comment éviter les pleurs et consoler votre bébé

Enveloppez votre bébé de bien-être

Pour le nouveau-né, les cinq sens constituent le point d'appui essentiel, le repère majeur sur lequel il peut compter pour retrouver sa vie antérieure si douce et constituer un trait d'union entre cette existence extra-utérine toute nouvelle, pleine d'aléas, et celle, fœtale, qui fut si confortable. Le toucher, le bercement, le câlin dans les bras, la voix qui murmure, chantonne, l'odeur maternelle retrouvée sont un véritable cocon sensoriel qui enveloppe le nouveau-né et lui permet de s'apaiser face aux découvertes de sa nouvelle vie. C'est en peau à peau avec le corps maternel qu'il retrouve le meilleur abri et tous les repères sensoriels enregistrés durant la vie fœtale. N'hésitez pas, ne vous interdisez pas de le prendre dans vos bras, de le bercer, de le tenir contre vous, de lui parler, de le regarder les yeux dans les yeux.

C'est de cela qu'il a le plus besoin, ce qui lui apportera bien-être, confort, sécurité et sérénité.

Afin de faciliter cette proximité corporelle si bienfaisante, pour soulager votre dos et améliorer votre bien-être et votre liberté, aidez-vous d'un bandeau de portage, foulard ou sac adapté et utilisé en sécurité pour un meilleur confort. Si c'est trop difficile plusieurs heures de suite, faites-vous relayer par le papa, ou une grand-mère, ou toute autre personne ressource de votre entourage. Le papa est le mieux placé pour prendre le relais et sera aussi très heureux de découvrir et de partager ces sensations avec la maman et le bébé. Et plusieurs paires de bras ne sont pas de trop pour un nouveau-né qui ne demande que cela.

Le bébé apprendra progressivement à trouver de nouveaux repères confortables auprès d'un être chaleureux qui le dorlote. Nous avons perdu ce modèle de maternage pourtant répandu à travers le monde et à travers l'histoire. Toutes les études scientifiques confirment les bienfaits à long terme de ce maternage proximal durant les premières semaines de la vie, car il répond aux besoins du nourrisson.

« Plus le nid est douillet, plus les ailes seront grandes pour voler »

Oublions les principes et diktats éducatifs de la génération précédente : « Tu vas lui donner de mauvaises habitudes, tu vas en faire un enfant capricieux. » C'était faire fi des besoins fondamentaux d'un nouveau-né ; par crainte de la fusion, d'un attachement trop exclusif ; par volonté de donner à l'enfant une autonomie la plus précoce possible ; par souci aussi de préparer ce futur adulte aux affres de la vie, la souffrance, la guerre, la lutte pour la survie.

Mais toutes les études sur le lien, en particulier la théorie de l'attachement, ont montré que plus cet attachement est solide et bien constitué dès la naissance avec une « figure d'attachement », plus l'enfant reçoit une base sécurisante, plus il pourra explorer le monde et trouver son autonomie. « Plus le nid est douillet, plus les ailes seront grandes pour voler », dit-on. Que de mères sont soulagées d'entendre ces paroles, qui correspondent tant à ce qu'elles souhaitent faire, mais en sont empêchées par l'entourage, par notre culture de la séparation. Toutes les mères du monde prennent dans leurs bras un bébé qui pleure, le câlinent, le bercent en chantant des berceuses.

Notre société du savoir, du vouloir, du pouvoir, de la rationalisation, du contrôle, de l'efficacité, de la performance, de la réussite, de l'immédiateté va à l'encontre des valeurs de la maternité : l'oubli de soi pour se donner à un être qui attend tout de nous et nous emmène dans le monde de la sensorialité, de l'émotion, de la vie, du devenir, du rêve, du respect de la physiologie. Oublions nos peurs : peur du manque, de l'échec, de l'esclavage, de nos insuffisances.

Remplaçons-les par la confiance dans les compétences du bébé, celles des parents, de la vie. Laissons la place à « la préoccupation maternelle primaire » de Winnicott, à la « constellation maternelle » de Stern. Adieu la séparation, place à la proximité pour créer et protéger la « bulle maman-bébé », la dyade, le lien précieux d'attachement. Certes, bébé s'adapte à sa mère, à ses parents, à son environnement, à cette nouvelle vie, mais *vous* aussi, sa mère, ses parents, l'environnement, vous vous adaptez à votre bébé.

LES PLEURS, MOYEN D'EXPRESSION, MOYEN D'ATTACHEMENT

Nous entendons souvent que les pleurs sont les « seuls » moyens d'expression du bébé, celui-ci ne disposant pas du langage parlé pour signifier ses demandes. C'est oublier tout le langage non verbal, le langage du corps, pourtant bien expressif chez le nourrisson, à condition de le voir, d'y être attentif, et de savoir le décoder. Les pleurs représentent alors non pas la seule expression, mais la plus forte, la plus impérative. « Tu n'as rien vu de ce que je t'ai montré, alors là tu vas être obligé d'entendre ce que j'ai à te dire : j'ai besoin d'aide, il y a quelque chose qui ne va pas, qui me gêne, il faut que tu trouves une solution à la situation présente, *j'ai vraiment besoin de toi.* »

Une musicienne, Priscilla Dunstan, ayant l'oreille absolue, a passé une grande partie de sa vie à décoder les pleurs du bébé. Elle a enregistré les sons émis dès le début des pleurs, à travers le monde, et a ainsi pu identifier, grâce aux sons différemment produits et à la position de la bouche et de la langue du bébé, leur signification. La phonétique précise des sons émis lui a permis de différencier faim, douleur, sommeil, rot coincé… Dans son livre, *Il pleure, que dit-il ? Décoder enfin le langage caché des bébés*, Priscilla Dunstan nous l'explique[4]. De nombreuses mères du monde entier ont été aidées grâce à cette analyse.

Et si nous ne parvenons pas à décoder précisément, ce qui est souvent le cas, les signes envoyés par notre bébé, le recours aux bras et aux gestes d'apaisement spontanément proposés seront toujours les bienvenus pour bébé, qui comprendra qu'il a, en face de lui, quelqu'un qui veut l'aider !

Nous détaillons, dans le chapitre « Bébé nous parle… sans les mots », les moyens d'expression multiples dont le bébé dispose pour nous dire s'il va bien, dans le « bien-être », ou s'il n'apprécie pas du tout ce qu'il est en train de vivre, ce qu'il ressent de façon désagréable, inconfortable, voire tout à fait perturbante. Il peut le dire avec sa gestuelle, son tonus, ses réflexes, sa motricité ; il peut le dire dans sa façon d'être en communication avec son interlocuteur : son regard, les expressions de son visage ; il peut le dire avec les données vitales que sont la coloration, la respiration, les régurgitations, les hoquets, etc. ; il peut le dire enfin dans sa façon d'organiser son sommeil et ses éveils ; les pleurs en sont ici l'expression la plus forte et la plus évidente.

Avant de recourir à ces manifestations « extrêmes » que sont les pleurs, le bébé aura tenté d'employer ses propres ressources pour remédier à ce mal-être ou cet inconfort. Sa principale ressource est le « main-bouche », qu'il a beaucoup pratiqué *in utero* et qui est sa principale source d'autosatisfaction ; aussi est-il important pour lui de disposer librement de ses mains pour pouvoir les porter au visage et retrouver éventuellement le pouce qu'il mettait si souvent dans sa bouche pour téter et satisfaire ce réflexe de succion qu'il avait déjà dans sa vie prénatale. Il pourra en disposer à loisir plus facilement qu'une tétine dont il ne pourra maîtriser seul l'usage et qui deviendra son seul réconfort possible alors qu'il possède une panoplie de recours plus large et plus subtile !

LES PLEURS DU SOIR

Il est nécessaire d'aborder plus spécifiquement les fameux pleurs du soir. Ils sont très fréquents et, dans les sociétés occidentales, les pleurs excessifs du soir touchent 10 % à 30 % des nourrissons de moins de 4 mois. Ces pleurs dits « excessifs » sont définis par leur durée : plus de trois heures par jour pendant plus de trois jours par semaine durant plus de trois semaines. Ces pleurs culminent au cours du deuxième mois. Ils perturbent de façon majeure la vie des parents et de leur entourage et la qualité de la relation parents-enfant. Ils peuvent avoir des conséquences négatives, voire dramatiques sur le devenir du bébé, conduisant parfois à secouer celui-ci tant la situation est devenue intolérable.

De nombreuses interprétations ont été données, aucune n'étant réellement démontrée. Une pathologie doit être éliminée, mais est exceptionnellement retrouvée. L'origine digestive, évoquée par le mot « colique » qui lui est le plus souvent appliqué, est la première invoquée ; le reflux gastro-œsophagien a également été largement accusé d'être le responsable de ces pleurs et peu de bébés ont échappé aux divers traitements proposés : position surélevée, épaississants, pansements gastriques, antiacides… Aucune preuve scientifique n'est venue confirmer ces allégations et la France est le pays champion pour ces prescriptions. De multiples autres interprétations ont vu le jour. Il s'agirait d'un comportement universel qui se retrouve aussi chez les mammifères et correspond à un stade lié à la maturation cérébrale et à l'installation dans un rythme nycthéméral, le bébé ajustant son rythme jour/nuit sur les vingt-quatre heures en se rapprochant progressivement du rythme des adultes. Leur durée et leur intensité seraient liées au tempérament de chaque enfant, et pourraient même être interprétées comme un indicateur de robustesse et de vitalité. Cela permet en tout cas de les présenter de façon positive aux parents.

Alors comment y répondre? Aucune solution miracle n'a été apportée. Il reste important de considérer ces pleurs comme un *signal visant à créer un lien étroit*, à favoriser des soins de proximité entre le bébé et ses parents. Le père peut y prendre une large place! Chez les bébés des chasseurs-cueilleurs, portés de façon quasi permanente dès la naissance, les pleurs sont très brefs. Tout ce qui peut favoriser proximité et réconfort pour le bébé et ses parents fera évoluer favorablement ces difficiles moments: portage, emmaillotage et entourage positif des parents. «Il faut tout un village pour élever un enfant», dit un proverbe africain. Ce qui manque le plus à notre société, c'est le village, et un village maternant pour la mère et le nouveau-né, fondé sur les besoins des bébés et des parents, et non sur des principes éducatifs de séparation, de contrôle, d'autonomie précoce, de performance («Ah, le mien est déjà à quatre repas et fait ses nuits!»).

Dès la naissance, observons ce bébé pour le connaître et le comprendre et essayons, en tâtonnant, de répondre au mieux à ses réels besoins. Il a tout ce qu'il faut pour nous le dire, nous le montrer et déclencher chez ses parents un attachement vital. Et vous, parents, avez tout ce qu'il faut pour y répondre de façon adéquate, suffisamment bonne, comme dit Winnicott, à condition de lâcher vos peurs et nombre de «principes éducatifs» que notre société a introduits depuis quelques décennies. Ces réponses adaptées aux besoins fondamentaux du nourrisson lui permettent de jouir de la sécurité fondamentale acquise dans la continuité entre sa vie fœtale et postnatale, avec le corps de sa mère. Cette sécurité lui sert d'assise, de socle fondateur pour faire face aux assauts de sa vie future.

CHAPITRE
6

La
sensorialité
du nouveau-né

*«Ici on distille les odeurs, ailleurs on prélève
les saveurs, s'enivrant des sensations du toucher,
des positions, recueillant les sons et les rythmes
de même que les échos venant des profondeurs
de l'organisme; puis tout est mélangé, tressé,
mis en gerbes...»*

JEAN-MARIE DELASSUS

Rêvons un peu.

J'ai les yeux fermés ; je suis dans un bain chaud, à 37 °C ; l'eau, légèrement agitée par mes mouvements, caresse discrètement ma peau recouverte d'un fin duvet et excite délicieusement mes sens subtilement animés par ces vaguelettes. Les mouvements que j'effectue sont légers, faciles, gracieux, harmonieux ; c'est une danse que je ne connais pas, mais que je ressens dans mes membres, dans mon corps et dans tout mon être. Je suis confortablement calé, le bas du dos agréablement appuyé contre un plan à la fois ferme, doux et chaud. Je me sens libre de mes mouvements, en même temps enveloppé dans un cocon onctueux, replié, tout en étant capable de me détendre. Rassemblé dans un monde clos qui me contient, je peux cependant me mouvoir librement. Je touche mon visage, mon nez, ma bouche surtout, mes doigts, mon cordon, les parois de l'utérus maternel. C'est doux, c'est bon, en particulier lorsque je suce mon pouce. Plus je fais cela, meilleur c'est. J'éprouve aussi d'autres sensations : je sens un doux liquide pénétrer dans ma bouche et un parfum envahir mon corps : mi-salé, mi-sucré, à peine assaisonné de fines épices, il m'inonde et me nourrit, m'entoure et me pénètre délicieusement. Je le bois, l'avale et le savoure de plus en plus.

Cet univers feutré est animé d'une musique permanente : sons lancinants, continus, baignés par un rythme de fond régulier, stable, rassurant et paisible. Un autre mouvement respiratoire, calme, profond et soutenu, se rappellera à moi lorsque je regarderai, beaucoup plus tard, la houle soulevant la mer. D'autres sons viennent enrichir cette toile de fond, vibrant dans cet océan minuscule. Ils sont plus variés, plus irréguliers, plus incertains… Mais que tout cela est bon.

Tout est continuité, harmonie, bien-être, totalité. Un magnifique orchestre! Le retrouverai-je un jour?

Et puis tout à coup, que se passe-t-il?

L'eau s'écoule, l'espace se rétrécit, se referme, se contracte sur moi… Et me voilà précipité dans un autre monde: c'est froid. Je crie, saisi par une sensation glacée. J'ouvre les yeux; une vive lumière m'éblouit. Mille sensations étranges m'envahissent, faites de bruits assourdissants, d'odeurs nouvelles, de manipulations multiples.

C'est ce qu'on appelle la naissance.

Cinq sens constituent la porte d'entrée et la voie de communication entre le bébé et le monde extérieur. Ces cinq sens sont déjà bien connus et expérimentés par lui dans l'utérus. À l'exception de la vue, qui ne peut s'exercer dans le monde clos et sombre du ventre maternel, ses autres sens sont sollicités en permanence durant la vie fœtale.

LE TOUCHER

Dans sa vie fœtale

C'est le sens le plus tôt développé durant la vie fœtale et le plus «ressenti»; le fœtus sait déjà mettre sa main sur son visage, sur sa bouche, téter un doigt, son pouce le plus souvent. Il touche toutes les parties de son corps à sa portée: son cordon, ses doigts, ses orteils; il aime ainsi retrouver le contact avec un objet cylindrique et doux plutôt qu'un objet angulaire ou rugueux; le commerce des doudous a parfaitement exploité ce phénomène. Tout son corps est en contact avec de l'eau bien chaude, dans une position recroquevillée et proche de l'apesanteur; il peut de cette façon se mobiliser facilement, se retourner, gesticuler, faire des roulades en tous sens. Les nœuds du cordon à la naissance sont les témoins de ces acrobaties. Tout cela se vit dans un balancement, au rythme des positions maternelles : ses marches, ses danses, ses activités, son repos.

À la naissance

À la naissance, que deviennent ces douces sensations bien connues et enregistrées dans sa mémoire ?

Si ce bébé est placé immédiatement sur le ventre de sa mère, peau contre peau, que deviennent ses ressentis tactiles et posturaux ? Après le passage rapide dans l'air, il retrouve très vite la chaleur douce et humide de la peau maternelle (qui a quelque peu transpiré pour le mettre au monde) ; il retrouve un ventre doux et flottant, non loin du bain amniotique ; il retrouve une mobilité lui permettant de grimper sur le ventre maternel à la recherche du sein ; il retrouve une posture en flexion, la position fœtale si confortable ; il peut porter tranquillement sa main à son visage, à sa bouche, comme il le faisait *in utero*, et le doigt du papa ou de la maman va bien vite venir dans sa main qui va tout naturellement, avec son réflexe de *grasping*, l'empoigner. Avec ce mode d'accueil, il retrouve tous ses repères quant au toucher, à la posture et à la mobilité. Les bras de ses parents l'entourent, reconstituant en quelque sorte l'enveloppe utérine.

Mais s'il est accueilli sur une table de réanimation dure et froide (malgré nos lampes chauffantes), aspiré par une sonde qui « ramone » sa bouche, sa gorge, son œsophage, son estomac, ses narines et ses fosses nasales ; s'il est examiné sous toutes les coutures, pesé, mesuré, étiré, baigné, habillé, manipulé et retourné dans tous les sens ; s'il reçoit du collyre dans les yeux, tous ces gestes pratiqués de manière routinière dès les premières minutes de vie, que ressent ce bébé au niveau du toucher, de sa position dans l'espace, de sa mobilité, que deviennent toutes ses sensations vécues *in utero* ? Imaginons ce bouleversement sensoriel, le véritable « tsunami » que représentent ces gestes. Il y a bel et bien de quoi pleurer, crier, se débattre et en ressentir quelque stress, sans oublier les effets délétères que nous connaissons de mieux en mieux. Dans ce mode d'accueil, le bébé perd tous ses repères tactiles et posturaux.

Si les gestes médicaux autour de la naissance sont indispensables pour maintenir les paramètres vitaux, la respiration et la circulation, bien sûr, il faut les pratiquer. Si ce ne sont que des habitudes, des diktats injustifiés, il est nécessaire de les remettre en question. Les avantages du premier mode d'accueil et les inconvénients du second sont tels qu'il est nécessaire de les analyser et d'en comprendre les justifications.

L'ODORAT

Dans sa vie fœtale

L'odorat est le deuxième sens chronologiquement développé chez le fœtus et a une importance majeure durant la vie fœtale et néonatale. Le goût lui est intimement lié, nous considérerons donc ensemble ces deux sens. Goûtant le liquide amniotique, puis le déglutissant, l'avalant de plus en plus au cours de la vie fœtale, le bébé a pris connaissance de goûts variés en fonction de l'alimentation maternelle ; il est familiarisé avec les épices, l'anis, le chou-fleur, les asperges et autres ingrédients consommés par sa maman. Il les connaît et sait les reconnaître à la naissance sur le corps de sa mère et dans le lait qu'elle lui proposera.

À la naissance

Si bébé est accueilli sur une table médicalisée, son premier contact olfactif et gustatif du nouveau monde sera une sonde, des gants en latex ou des mains imprégnées de désinfectant, le savon de la toilette, la vitamine K au goût redoutable, le collyre qui laisse une sensation désagréable dans la bouche. Adieu le bon goût des doigts portés à la bouche et sucés, adieu les bonnes saveurs maternelles! Voilà encore de quoi beaucoup pleurer.

S'il est posé sur le ventre maternel, il y retrouve son odeur et, bientôt, le goût du colostrum, si proche du liquide amniotique. Benoist Schaal, chercheur au centre de recherche sur le goût à Dijon, a publié des études passionnantes sur l'odorat du nouveau-né, montrant notamment qu'en deux jours celui-ci distingue parfaitement l'odeur de sa mère comparée à celle d'autres femmes, distingue le lait maternel d'un lait de substitution ou du lait d'une autre mère[1]. Nous connaissons par ailleurs de mieux en mieux le pouvoir d'attachement que constituent les odeurs; les parfumeurs le savent et l'exploitent. Alors ne gâchons pas cet atout de sécurité et d'attachement pour le bébé et pour sa mère.

L'OUÏE

Dans sa vie fœtale

Chacun sait que les bébés entendent dans le ventre maternel. Ils entendent surtout les bruits internes maternels : les battements réguliers du cœur et des grosses artères proches de l'utérus (l'aorte n'est pas loin), la forge des poumons respirant en rythme, les gargouillis désordonnés de l'intestin, la voix qui parle, chante, raconte, susurre ou gronde. Ces bruits sont transmis sous forme de vibrations à travers le liquide, ils bercent le fœtus tout au cours du dernier trimestre de la grossesse[2]. Bébé a eu tout le temps de les enregistrer, de les intégrer et de s'en souvenir.

À la naissance

Sur le ventre maternel, à la naissance, il retrouve ce doux bercement à la fois tactile et musical qui le conduit à se diriger vers le cœur maternel, et le sein gauche le plus souvent. Il aime entendre le son grave de la voix paternelle. Il sera peut-être plus désorienté par le silence qu'il ne connaissait pas que par les bruits environnants, à condition qu'ils ne soient pas trop intenses. Il découvrira son propre cri et le bruit de ses pleurs.

LA VUE

Dans sa vie fœtale

C'est l'organe le moins mature à la naissance. Durant la vie fœtale, la rétine et les voies qui relient l'œil au cerveau se développent, mais ne sont pas fonctionnelles ; la rétine ne reçoit pas de message lumineux qui active son fonctionnement. Le fœtus vit dans la pénombre, enfermé dans l'utérus.

À la naissance

À la naissance, c'est un bouleversement majeur pour la vision : bébé va découvrir la lumière, ébloui par ce nouveau monde. Beaucoup de parents croient que les nouveau-nés ne voient rien ou très peu. Rectifions cette croyance, le nouveau-né voit, mais pas de manière précise et colorée comme nous. Pierre Rousseau, un obstétricien belge, a beaucoup étudié le premier regard du nouveau-né, en filmant son visage dès les premiers instants de vie, et a recueilli les impressions des parents qui vivent cette première rencontre. Avant même son premier cri, dès les premières secondes de vie, le bébé lève les yeux vers le haut et, s'il rencontre un regard humain, il va s'y accrocher et suivre ce regard. Un regard ressenti comme un véritable « coup de foudre » par les parents qui le reçoivent. Ils sont alors « éblouis », « fascinés », « émerveillés », « émus » (ce sont les mots des parents) par ce premier regard. Si celui-ci s'interrompt, le bébé se met à pleurer, et s'il se rétablit, les pleurs cessent.

C'est dire à quel point il est important de le positionner pour que parents et bébé puissent échanger ce regard, et permettre ainsi cette rencontre exceptionnelle. Il est bon de montrer aux parents que le nouveau-né peut les voir s'ils sont face à face, yeux du bébé et de l'interlocuteur dans le même axe, à une distance de 25 à 30 centimètres, justement celle qui sépare les yeux de la maman et ceux du bébé lorsqu'il tète ! Vous remarquerez alors très vite le va-et-vient intense du regard de votre bébé, allant du sein au visage de sa mère, et en serez profondément ému. Un premier lien d'attachement inoubliable peut être ainsi créé. Si les conditions de la naissance le permettent, ne ratons pas cette possibilité de rencontre. Mais si ce n'est pas possible à ce moment-là, elle pourra se faire plus tard.

Nous avons artificiellement séparé chaque sens, mais le nouveau-né les intègre tous dans une harmonie globale qui lui permet de s'appuyer sur le bien-être ressenti durant les derniers mois de la grossesse pour retrouver ses repères sur le corps de sa mère, et développer les moyens de s'adapter au mieux à ce nouveau monde. Le livre de Marshall et Phyllis Klaus, *La Magie du nouveau-né*, illustre par de magnifiques photos cette « magie » sensorielle du nouveau-né. Seule la vue est vraiment nouvelle pour lui et vient compléter les autres sens déjà bien développés.

CHAPITRE
7

Le sommeil et les rythmes
du bébé

Mon bel ange va dormir
Dans son nid l'oiseau va se blottir
Et la rose et le souci
Là-bas dormiront aussi

La lune qui brille aux cieux
Voit si tu fermes les yeux
La brise chante au dehors
Dors, mon petit prince, dors
Ah! dors! dors!

BERCEUSE DE MOZART

L e sommeil est un sujet majeur de la vie du nourrisson.
  * Il représente une grande partie de son emploi du temps.
* Il conditionne très largement le sommeil et le rythme de vie de ses parents ainsi que le climat familial qui en découle.
* Il est fondateur de l'organisation neurologique et psychique de l'enfant, dont le cerveau est en pleine construction, préparant ainsi sa vie future.

C'est un sujet qui touche à l'intime des familles ; il touche aussi à la séparation, donc à l'attachement ; il touche à la vie et à la mort. C'est une question à laquelle se heurte chaque culture, chaque histoire familiale et chaque individu dans son vécu personnel. C'est donc un sujet délicat, parfois passionnel, qui ne peut être envisagé qu'avec un immense respect pour chaque famille et chaque individu concerné.

Nous en analyserons deux aspects essentiels :
— son organisation et sa construction physiologique, telles que nous pouvons les connaître actuellement, et nous en sommes aux balbutiements ;
— les mesures de sécurité durant les premiers mois de vie.

COMMENT S'ORGANISE LE SOMMEIL DU NOURRISSON

Deux approches permettent de comprendre l'organisation du sommeil du nourrisson :
* L'approche clinique par l'observation : en regardant tout simplement un bébé dormir, nous apprenons beaucoup.

- L'approche plus technique par l'électroencéphalogramme, complétée actuellement par des techniques neuroradiologiques de plus en plus performantes.

Nous nous appuyons ici sur l'approche clinique par l'observation, accessible à tous, permettant de reconnaître différentes phases au cours du sommeil.

Les premières descriptions du sommeil ont été apportées par Heinz Friedrich Rudolf Prechtl, qui a décrit le comportement durant le sommeil et l'a confronté aux données de l'électroencéphalographie dès les années 1960[1]. Marie-Josèphe Challamel, pédiatre spécialiste du sommeil de l'enfant, a complété ce travail[2]. La classification en cinq stades de Prechtl, chez l'adulte, a enfin été enrichie par les observations de Brazelton, qui décrit les six états de veille et de sommeil suivants[3].

Stade 1: le sommeil calme profond

Il se caractérise par l'immobilité: rien ne bouge, le corps et les membres sont figés dans une position immobile qui fait dire que ce bébé dort «à poings fermés»; les quatre membres sont en flexion, en grenouille, traduisant un tonus bien présent; bras et avant-bras forment un angle droit définissant la posture «en chandelier». Si vous regardez à nouveau le bébé quelques minutes plus tard durant cette phase de sommeil, vous le retrouverez dans la même posture; seuls quelques sursauts peuvent être observés.

Le visage est lui aussi totalement immobile et inexpressif; les paupières sont closes, aucun mouvement des globes oculaires ne se dessine sous les paupières. Le visage est détendu, impassible. Tout au plus, quelques mouvements de succion peuvent être observés. L'enfant est pâle, les rythmes respiratoire et cardiaque sont lents et réguliers. Vous pouvez même ressentir une inquiétude passagère devant ce bébé aussi immobile et calme. Mais c'est sans doute ce sommeil-là que les parents attendent avec impatience et soulagement : « un vrai sommeil de bébé ». Ce stade 1 dure en moyenne vingt minutes.

Stade 2 : le sommeil léger, appelé aussi sommeil agité

Il est caractérisé par la mobilité. Cette phase correspond au sommeil paradoxal de l'adulte.

Le corps et les membres sont mobiles, faisant des mouvements harmonieux ou plus brusques, de la racine aux extrémités des membres, se déplaçant en tous sens (si l'installation du bébé le permet) ; le tonus est plus relâché ; ces mouvements permettent le déplacement du corps et l'on observe alors des positions parfois hétéroclites ou inattendues. Le nouveau-né se « colle » notamment contre la paroi du berceau, et retrouve ainsi les sensations de contenance de sa vie intra-utérine.

Le visage est très expressif, animé par des mimiques ; ces mimiques et grimaces vont nous évoquer des émotions : la joie, la tristesse, la surprise, la colère, le dégoût ou l'envie. Il rêve. S'il exprime ces émotions dans le rêve, c'est qu'il les ressent. Cela signifie que le nouveau-né, même prématuré, est capable, dès la naissance, d'exprimer des émotions, et peut-être les ressentait-il déjà *in utero*. Admirez-le bien durant cette phase de sommeil : d'une seconde à l'autre, il passe par des mimiques si expressives ! Les rythmes respiratoire et cardiaque sont alors très irréguliers, son visage est plus coloré. Il émet même des bruits de succion ou de respiration irrégulière.

Notre interprétation en est souvent négative ; ce visage grimaçant est ressenti par beaucoup de mamans comme signe de « coliques » ou autre désordre digestif ; l'enfant est décrit comme « nerveux », « agité », « insomniaque ». Cette phase dure de dix à quarante-cinq minutes, en moyenne vingt-cinq minutes, et ce temps peut paraître interminable pour une mère qui attend impatiemment que son bébé dorme enfin ! Ces mouvements, qu'elle juge anormaux, l'inquiètent, mais ils sont tout à fait physiologiques ! Alors que cette gestuelle peut conduire à un moment de contemplation devant ces merveilles et cette richesse d'expression. Notre bébé est en plein rêve !

Stade 3 : la somnolence

Cette phase intermédiaire entre sommeil et éveil montre un bébé qui ouvre vaguement les yeux, commence à observer l'environnement dans un contact encore très flou, avec un regard hébété, des réponses différées aux stimuli, ne sachant pas très bien s'il va se rendormir ou se réveiller tout à fait. Ne vous précipitez pas pour prendre bébé et le réveiller complètement, il va parfois se rendormir et, d'autres fois, se réveiller totalement. Donnez-vous le temps.

Stade 4 : éveil calme actif ou alerte

Les yeux sont bien ouverts, ils regardent avec attention le visage en face de lui ; bébé est même capable d'imiter les mimiques de son interlocuteur, ouvrir la bouche, par exemple, comme Andrew Meltzoff a pu le montrer[4]; il déclenche un dialogue interactif avec l'adulte qui lui fait face.

Il porte les mains à sa bouche avec un réflexe de succion bien exprimé, faisant souvent dire à son entourage : « Il a faim. » Non, ce bébé est tout simplement bien éveillé et sa gestuelle exprime une bonne neurologie par son tonus et encore plus particulièrement par son réflexe de succion. Il n'a peut-être pas forcément faim à ce moment-là, mais il est tout à fait prêt à téter et à le faire au mieux de sa forme, que ce soit au sein ou au biberon.

Cette phase est de courte durée chez le nouveau-né, dix minutes en moyenne. Il y en a peu durant les vingt-quatre premières heures de vie (quatre à cinq en moyenne), mais beaucoup plus les jours suivants (huit à douze)[5]. Ne les ratons pas, ce serait dommage ! Le bébé s'en sert pour découvrir ce nouveau monde, en particulier ses parents, provoquer leur attachement, s'adapter à ses nouvelles conditions de vie, et aussi se nourrir.

Stade 5 : éveil agité

Succédant à ces beaux moments d'échanges avec notre bébé, la situation va souvent se dégrader rapidement, de façon tout à fait normale : son attention ne pouvant être soutenue longtemps, il décroche le regard et rompt le lien avec l'entourage. Sa gestuelle se désorganise, il montre alors une agitation motrice intense, désordonnée, avec une hypertonie des quatre membres et des mouvements brusques ou de pédalage. C'est ce que vous constatez rapidement lors du bain ou d'une pesée. C'est surtout le soir que nous observons ce comportement, naturel chez le nourrisson, devant lequel nous sommes désemparés. Cette phase est souvent rapidement suivie de pleurs.

Stade 6 : les pleurs

Les pleurs s'ajoutent donc à l'agitation précédente. Ils peuvent précéder l'endormissement. Et c'est le soir surtout, entre 18 et 22 heures, voire minuit, que notre bébé les exprime tout naturellement dans un rythme intrinsèque à son organisation cérébrale.

Au cours de ces deux derniers stades d'agitation, le bébé n'a pas les meilleures aptitudes pour téter, que ce soit au sein ou au biberon ; il est alors nécessaire de l'apaiser avant de lui proposer de se nourrir. N'attendons donc pas les pleurs pour l'allaitement. Profitons de l'éveil actif afin de permettre l'expression de ses meilleures compétences pour la réussite… et le plaisir ! Mais le soir, pour l'apaiser, vous pouvez le prendre, le câliner, et même proposer le sein pour consoler ses pleurs. C'est souvent le meilleur remède. Si cela marche après d'autres essais infructueux, ne nous en privons pas !

L'organisation de ces six états de vigilance permet de comprendre le rythme particulier du nouveau-né, totalement différent de celui d'un adulte, et éclaire sur les réponses à apporter à ses besoins fondamentaux et aux demandes qu'il exprime. Ainsi nos réponses lui permettent d'installer son rythme harmonieusement dans la perspective aussi d'une construction cérébrale optimale.

La chronobiologie

C'est l'organisation et l'évolution de ces états dans le temps. Les différentes phases de sommeil et d'éveil que nous venons de voir sont confortées et objectivées par l'électro-encéphalogramme. Cet examen indolore effectué en plaçant des électrodes sur le crâne montre des ondes d'intensité et de fréquence variables selon les stades de sommeil ou d'éveil. Cette organisation est différente chez le prématuré, le bébé à terme et l'adulte. Nous allons voir les grands traits de cette évolution.

Chez le prématuré, il n'y a pratiquement pas de signe électrique d'éveil spontané avant 35-36 semaines. Le fœtus dort quasiment vingt-quatre heures sur vingt-quatre dans l'utérus maternel, y compris quand il bouge.

Les phases de sommeil sont plus difficiles à analyser par la simple observation chez le prématuré ; grâce aux données de l'électroencéphalogramme, nous savons que le sommeil agité, ce sommeil de rêve, est le plus fréquent sur les vingt-quatre heures d'un prématuré et le premier à apparaître. Ce sommeil est majoritaire durant le troisième trimestre de la vie fœtale. Et c'est ce sommeil aussi qui est très important dans la construction cérébrale, avant comme après la naissance. Il précède le sommeil calme profond dans l'organisation du rythme nycthéméral du nouveau-né. Pour qu'un bébé dorme « à poings fermés », il doit d'abord passer par la phase de sommeil agité. Contrairement à l'adulte, ses rêves sont donc en début de cycle.

Ce sommeil agité correspond à notre sommeil paradoxal, qui, chez l'adulte, se trouve en fin de cycle de sommeil, alors qu'il est en début de cycle chez le nouveau-né. Ce sommeil est celui durant lequel on rêve. Il semble avoir une importance majeure pour la construction cérébrale du fœtus et du nouveau-né. Il est donc capital de le reconnaître et de le respecter. Ce sommeil agité conditionne le sommeil calme profond qui concourt également à la construction et à l'organisation cérébrale.

Laissons nos bébés s'endormir et rêver à loisir ; plus cette phase de sommeil est respectée, mieux le rythme veille/sommeil pourra s'établir et évoluer favorablement, en s'adaptant progressivement à notre rythme d'adulte, s'il est différent.

Ainsi, vous, parents, qui avez bien observé que bébé ne dormait pas du tout comme nous, les adultes, qui parlez de « confondre le jour et la nuit », vous pouvez maintenant comprendre pourquoi ce sommeil est si différent, et pourquoi il est important de le respecter, de ne pas « réveiller le bébé la journée pour qu'il dorme mieux la nuit », comme croient bien faire nombre de parents. Plus ce rythme sera respecté, mieux le bébé pourra évoluer progressivement vers une construction cérébrale optimale.

Ces données, en montrant l'importance du respect de leur rythme et de leur sommeil, ont permis d'améliorer le devenir des prématurés. Le portage en peau à peau et la méthode kangourou sont les meilleurs moyens de favoriser la survenue et l'installation de ces différentes phases de sommeil et d'éveil.

....

Deux phénomènes sont à retenir pour vous, parents

* Le sommeil agité représente 50 % à 60 % des vingt-quatre heures d'un nouveau-né à terme. Cela signifie que vous le verrez très souvent bouger, s'agiter, faire du bruit, des mimiques. Alors qu'il dort et qu'il rêve… et qu'il construit son cerveau ! Plus de la

moitié des vingt-quatre heures d'un bébé sont donc occupées par le sommeil agité. Jusqu'à présent, vous pensiez peut-être que votre bébé dormait peu, dormait mal, qu'il avait des difficultés à trouver le «bon sommeil». Eh bien non, son sommeil de rêve est en train d'organiser ses neurones.

- La seconde chose à comprendre, pour nous y adapter, est que ce sommeil de rêve, qui peut même s'accompagner de pleurs, précède le sommeil calme profond tant attendu et est indispensable à son installation.

....

Durant les premières semaines de vie, l'alternance jour/nuit et les rythmes sociaux de la famille et de l'environnement, appelés donneurs de temps, permettront au bébé de s'adapter petit à petit à cette vie extra-utérine et de rejoindre progressivement le rythme des adultes, en particulier pour «faire ses nuits». Mais cela demande souvent beaucoup plus de temps et de patience que ne le souhaiteraient les parents fatigués par les nuits entrecoupées de nombreux réveils. Le sommeil de bébé s'installera plus harmonieusement si son rythme a été respecté durant ces premiers mois. Il faudra trois à six mois, le plus souvent, pour que bébé enchaîne environ six heures de sommeil la nuit.

PETITS ET GROS DORMEURS

La durée moyenne de sommeil d'un nouveau-né est variable, entre seize et vingt heures sur vingt-quatre. Il existe de petits dormeurs et de gros dormeurs, avec tous les intermédiaires, et cette différence est génétiquement déterminée. Nous avons donc une «tendance naturelle» qui persistera toute notre vie, à dormir peu ou beaucoup. Elle explique des différences dès la naissance et avec lesquelles il faudra composer.

Le bébé petit dormeur aura plus d'éveils, et surtout d'éveils agités, qui se situent essentiellement le soir et en début de nuit. Ce sont ces petits dormeurs qui auront le plus besoin le soir de stratégies d'apaisement, s'appuyant surtout sur la continuité sensorielle entre le monde pré et postnatal : câlins, nid douillet, peau à peau, portage, et pas seulement le lait ou la tétine. Ils ne sont pas des tubes digestifs à remplir toujours plus, ni des « téteurs insatiables ou insatisfaits ». Ils ne sont pas pleins de gaz, de coliques, de reflux, de glaires, ou encore « capricieux », « manipulateurs », « nerveux », « méchants », comme on peut l'entendre parfois. Ce sont simplement de petits dormeurs (comme leur père, leur mère ou tel membre de la famille parfois). Nos réponses s'y adapteront mieux en connaissant ces données.

COMMENT ÉVOLUE LE RYTHME VEILLE/ SOMMEIL AU COURS DES SIX PREMIERS MOIS

Durant ce premier semestre de la vie, le sommeil va subir une évolution majeure et les moments d'éveil vont augmenter progressivement.

À la naissance, un état d'éveil exceptionnel

À la naissance, le nouveau-né vit un état particulier pendant une à deux heures : sous l'effet des catécholamines, notamment la fameuse adrénaline sécrétée à un niveau exceptionnel lors de la naissance, son éveil, sa sensorialité, ses compétences sont exacerbés. Cet éveil extraordinaire au sens propre du terme lui apporte les atouts majeurs pour s'adapter à cette nouvelle vie et rencontrer ses parents, ses figures d'attachement qui constitueront le socle de sécurité sur lequel il va pouvoir s'appuyer pour son développement. C'est pourquoi il serait dommage, encore une fois, de perturber ce moment privilégié avec des gestes inappropriés ou inutiles. Au contraire, il est important de permettre au bébé d'exploiter au maximum ses atouts par le peau à peau afin de rencontrer ses parents et de les séduire, se les attacher pour la vie. Il lui faudra attendre plus de trois mois pour retrouver deux heures continues d'éveil, et sans doute avec moins d'acuité sensorielle.

Les vingt-quatre premières heures : repos

Durant les vingt-quatre heures suivantes, bébé va se remettre de ses émotions de l'accouchement et avoir peu d'éveils, quatre à cinq en moyenne. Il pourra donc dormir six à huit heures de suite sans que nous nous croyions obligés de le réveiller pour le nourrir s'il est à terme, a bien chaud, n'a pas de pathologie particulière et s'il est près de sa mère qui pourra réagir à ses besoins. Bien sûr, cela est différent chez un prématuré, un bébé malade ou ayant subi de difficiles conditions de naissance.

Les jours suivants

Les jours suivants, bébé va se réveiller huit à dix fois, en moyenne, par vingt-quatre heures, parfois plus, et ce de façon très anarchique, et certainement pas aux moments où le souhaiteraient ses parents, et en particulier sa maman qui mériterait un bon sommeil récupérateur après son accouchement.

C'est principalement le soir et en début de nuit qu'il est le plus éveillé, les soirées sont des périodes d'éveil agité, sans parler de la nuit de la montée laiteuse, au cours de laquelle le bébé va peut-être s'exprimer encore plus ; entre le deuxième et le quatrième jour suivant la naissance, les seins vont soudainement augmenter de volume et devenir très gros, tendus : c'est la fameuse montée laiteuse, qui va être particulièrement ressentie durant la nuit. Cette nuit-là, bébé sera très éveillé, de multiples fois, et demandeur de présence, et cela tombe bien, car il soulagera ainsi les seins tout à coup gorgés de lait de sa maman. Le mieux pour les deux partenaires, maman et bébé, est alors de s'accorder, et, pour la maman, de répondre à la demande de son bébé, demande irrégulière, anarchique, et souvent nocturne. La maman profitera des moments de sommeil de son bébé pour dormir en même temps que lui. Pas facile, car notre société ne nous prépare pas à cela. Dans la plupart des pays du monde, c'est la mère qui s'adapte à son nouveau-né. Notre société suggère aux mères d'adapter le plus vite possible le rythme du nourrisson à celui des adultes. Mais son rythme physiologique est tellement différent.

Pour répondre à ces exigences du soir, les parents, en particulier la mère, disposent cependant de ressources précieuses : leurs cinq sens et ceux de leur enfant. Ils permettent d'apporter une continuité sensorielle rassurante pour le bébé, lui rappelant son bien-être fœtal. Toutes ces richesses sensorielles seront surtout exploitées durant la période d'éveil agité vespérale et lors de la phase d'endormissement en sommeil léger, tandis que le sommeil profond est le bon moment pour que bébé s'habitue à dormir dans son berceau. Lors de la mobilisation du bébé, pour le poser dans son berceau, par exemple, il est opportun de le maintenir en flexion, d'éviter les « gratouillis », ressentis comme une excitation, ou tout geste d'hyperstimulation, lumière, bruit...

Entre 3 et 6 mois

Ce n'est qu'entre 3 et 6 mois que bébé commence à avoir des périodes de sommeil plus prolongées avec une modification de l'organisation des différents stades.

Les éveils se sont allongés progressivement ; le sommeil agité diminue, le sommeil calme augmente pour se rapprocher petit à petit de l'organisation du sommeil de l'adulte. Ainsi, vers 6 mois, bébé s'endort dans un sommeil calme et place ses rêves en fin de cycle, comme nous. Mais c'est vers 2 ans seulement qu'il aura construit le schéma rythmique du sommeil de l'adulte, le plus gros travail se faisant au cours des six premiers mois. Plus nous respectons cette évolution, mieux se constituera l'organisation de ce sommeil, émaillé souvent de quelques aléas au cours de ces deux premières années. Notre bébé a grand besoin, durant les premières semaines, pour trouver ce sommeil dit « agité », le sommeil des rêves, d'un nid douillet et confortable, avec les repères sensoriels de sa vie intra-utérine. Ceux-ci favoriseront l'endormissement et le bien-être en sécurité.

Lorsqu'il s'endort dans un sommeil calme profond (après six mois en moyenne), il en va tout autrement : il sera alors opportun de lui permettre de trouver une autonomie d'endormissement avec ses propres ressources, aidé par les rituels d'endormissement, peut-être un doudou avec l'odeur maternelle, le fameux objet transitionnel. Les voix maternelle et paternelle peuvent revêtir une place rassurante importante, véritable « cocon vocal », prémices de la future histoire du soir des années à venir. Les berceuses ont toujours pris une grande place dans la vie des bébés.

Il existe plusieurs cycles durant la nuit, avec des micro-réveils, voire des macroréveils, et il vaut mieux alors que l'enfant trouve ses propres ressources d'endormissement au lieu de compter sur le corps de sa mère, le sein, le biberon ou la tétine à chaque éveil. Le pouce, qu'il sait trouver seul, peut être une bonne ressource, tandis que la tétine peut nécessiter plusieurs interventions parentales au cours d'une nuit.

Voilà pour l'assise physiologique ; la pratique peut être très délicate parfois, toutes les familles ont été confrontées à ce problème.

CE QUI PEUT ENTRAVER LE SOMMEIL

De nombreux facteurs peuvent entraver le sommeil, l'éveil et l'installation du rythme physiologique chez un nouveau-né.

La douleur

En premier lieu, la douleur ; il faut la rechercher de principe et y apporter une réponse par tous les moyens antalgiques, médicamenteux ou non. Les principales causes de douleur du nouveau-né sont liées à l'accouchement : bosses sérosanguines, hématomes, fracture de la clavicule, torticolis, accouchement long ou difficile, manœuvres obstétricales ; un accouchement normal n'élimine pas la possibilité d'une douleur chez le nouveau-né durant les vingt-quatre à quarante-huit premières heures de vie.

La température

Une autre cause de dysrythmie du sommeil est liée à la température : le froid est le grand ennemi du nouveau-né, plus souvent en cause que l'hyperthermie. Nous en mesurons l'importance tout au long de ce livre. Lors du retour à la maison, l'adaptation thermique n'est pas encore totalement accomplie, et certains bébés demanderont plus de temps pour équilibrer leur température. S'il pèse moins de 3 kg en particulier, votre bébé aura encore besoin, pendant huit à quinze jours, d'avoir bien chaud, pour trouver plus facilement son sommeil et pour grossir. La règle des 18 à 20 °C pour la température de la chambre ne s'applique donc pas strictement à ces bébés-là, et il ne faut pas hésiter à leur mettre une petite laine supplémentaire. Pour ces tout-petits, aidez-vous dans le doute d'une prise de température quotidienne durant quelques jours.

Des stimulations trop importantes

Les stimulations trop importantes, répétées, inappropriées sont habituelles dans nos pratiques : visites nombreuses, passages de bras en bras, mais aussi soins qui ne s'avèrent pas toujours indispensables ou opportuns, bains trop fréquents, trop précoces ou au mauvais moment de la journée et avec une technique inadaptée aux réels besoins d'un nouveau-né. Nombre de gestes pratiqués en maternité demandent à être revisités dans leur indication et dans leur réalisation au regard du rapport avantages/inconvénients qui mérite toujours d'être posé avant de déranger un nouveau-né dans ses rythmes.

Le contrôle du bruit, de la lumière, l'installation confortable du bébé sont des éléments majeurs de confort permettant la mise en place de ses rythmes. Ces éléments sont maintenant largement pris en compte dans les services de prématurés, qui proposent des «soins de développement».

Une pathologie

Toute pathologie peut interférer dans le rythme du nouveau-né. L'ictère, jaunisse fréquemment observée les premiers jours, diminue les éveils et la réactivité du bébé. Les anomalies respiratoires, cardiaques, hémodynamiques, les infections, mais aussi les médications vont troubler ses rythmes. Le prématuré présente des rythmes différents de ceux des bébés nés à terme par son immaturité neurologique, avec peu ou pas d'éveils.

COMMENT LUI DONNER LES MEILLEURES CONDITIONS DE SÉCURITÉ ?

Prendre soin au mieux du sommeil du bébé est une préoccupation majeure de tout parent. Or les cultures, les modèles sociaux, les modes se sont immiscés dans les choix des parents quant à la modalité de couchage de leur nourrisson. Notre société est partagée sur cette question fondamentale entre deux tendances opposées qui correspondent culturellement à deux modalités de couchage du bébé à travers le monde et au cours de l'histoire de l'humanité : les cultures avec berceau et les cultures sans berceau. La première a connu son paroxysme ces cinquante dernières années, alors que la séparation et l'autonomie précoces constituaient le socle de l'éducation dès le plus jeune âge. Cette conception se heurte totalement à celle des sociétés où la proximité est la base de l'accompagnement du bébé.

Sortant de ces années de culture de la séparation, nous entrons dans une période où la proximité, le retour au naturel, au respect de la physiologie, la prise en compte des besoins fondamentaux du nouveau-né et des bénéfices de l'allaitement maternel reprennent de la valeur. Dormir avec son bébé redevient un modèle à suivre, quitte à le copier sans en avoir le mode d'emploi.

Un constat s'impose : le risque de mort subite

Parallèlement, un constat s'impose : la mort subite ou inattendue du nourrisson pendant son sommeil est la première cause de mortalité entre un mois et un an. Les modalités de couchage du bébé et ses conditions de sommeil y ont une part de responsabilité ; elles sont donc à envisager avec tous les parents dès la naissance et représentent un enjeu de santé publique. C'est en maternité et dès la période néonatale que cette question mérite d'être abordée en famille et c'est à la maternité que les modalités et les conditions de couchage doivent être modélisées.

Que conseiller, alors, aux parents pour assurer le meilleur sommeil à leur bébé dans la plus grande sécurité ? Comment concilier sécurité et proximité ? Nous nous appuyons sur les études réalisées sur la mort inopinée du nourrisson et les recommandations qui en ont découlé dans de nombreux pays, notamment au Canada avec l'Agence de la santé publique du Canada[6], au Royaume-Uni avec l'Unicef[7], aux États-Unis avec l'Académie américaine de pédiatrie[8]... L'ensemble des études menées sur les bébés morts brutalement durant leur sommeil n'ont pas permis, dans de nombreux cas, de détecter une cause précise, mais ont établi une série de facteurs favorisant le décès. Les études ont aussi mis en évidence des facteurs qui rendaient ce décès moins probable statistiquement. La mort inopinée serait le plus souvent le résultat de multiples facteurs qui interfèrent, regroupés en trois grandes catégories : une période particulièrement critique pour le bébé entre un et six mois, un enfant vulnérable et un stress extérieur.

Les bébés les plus vulnérables sont les prématurés et dysmatures (de poids trop faible pour leur terme), les bébés exposés au tabac, à l'alcool et aux drogues pendant la grossesse, certains enfants ayant une prédisposition génétique, une erreur innée du métabolisme ou une malformation touchant le larynx ou la mâchoire inférieure. Le rôle de l'audition a également été évoqué, un lien entre les centres acoustique et respiratoire ayant été mis en évidence.

Parmi les stress exogènes, citons la position ventrale, la température, trop basse ou trop élevée, la face couverte, la privation de sommeil, l'infection et l'inflammation, les médicaments sédatifs ou les substances toxiques.

Les facteurs protecteurs

Parmi les facteurs protecteurs, deux sont particulièrement significatifs, divisant par deux ou plus le risque de mort inopinée : ce sont l'allaitement maternel et le partage de la chambre parentale[9].

L'allaitement maternel, surtout s'il est exclusif, se révèle protecteur de façon multiple[10]. Cette nourriture est la plus adaptée à tous les besoins du nouveau-né et répond au mieux à son développement, en particulier cérébral et neurologique.

Le rythme des tétées et la proximité maternelle qu'implique l'allaitement jouent également un rôle préventif.

La proximité avec le bébé qui dort dans la même pièce que ses parents est, elle aussi, un élément protecteur : le partage de la chambre aide les parents à répondre aux besoins du bébé, facilite l'alimentation nocturne. Il les aide à entendre le bébé qui se réveille, à répondre plus rapidement à ses demandes, ce qui permet ensuite plus de sommeil à la fois pour la mère et le bébé. « Ce n'est pas le lit dans la chambre des parents qui est protecteur, mais la présence d'un parent ou d'un soignant dans cette chambre[11]. »

L'utilisation de la tétine pour les bébés au biberon, par les stimulations qu'elle entraîne, pourrait également diminuer les décès.

L'enveloppement dans un linge, qui trouve un regain d'intérêt pour calmer transitoirement un bébé, n'est pas un facteur de protection.

Les facteurs de risque

Les facteurs qui ont le plus souvent été associés à la mort inopinée des bébés durant leur sommeil sont les suivants :

La position ventrale

Dormir sur le dos s'associe au risque le plus faible de mort subite inopinée[12]. Depuis les recommandations, en 1994, de faire dormir les bébés sur le dos, le nombre de décès subits a été divisé par quatre, voire dix selon les études. Pour éviter l'aplatissement de la tête appelé plagiocéphalie, le bébé peut être placé sur le ventre lorsqu'il est éveillé, avec un adulte à ses côtés, à l'occasion du change par exemple[13]. Le portage dans de bonnes conditions durant la journée évite aussi cet aplatissement de la tête. Le bébé dort sur le dos dans un berceau, mais n'y vit pas en permanence ; nous pouvons profiter des périodes d'éveil pour lui proposer d'autres positions et sollicitations.

La position sur le côté est tout aussi risquée, car instable, beaucoup de bébés placés ainsi se sont retrouvés sur le ventre. « Une fois que le bébé est capable, de lui-même, de se retourner, du dos sur le ventre ou inversement, on peut le laisser dormir dans la position qu'il a adoptée », précise l'Académie américaine de pédiatrie.

Les « cale-bébés » sont dangereux car ils entravent la liberté de mouvement des bébés ; de même, le « cocoon baby », copiant les cocons des prématurés sous monitoring, ne correspond pas aux besoins de mobilité et de liberté dans le sommeil d'un bébé à terme non monitoré.

La position proclive, surélevant le haut du corps, souvent prônée pour éviter les régurgitations, n'a pas fait la preuve de son efficacité et présente plus de risques de glissement et d'étouffement que d'avantages réels. Il n'est donc pas recommandé de mettre un oreiller, directement sous la tête du bébé ou sous le matelas. Là encore, le portage durant la journée est plus efficace.

Les mauvaises conditions de couchage

L'étouffement et l'entrave à la respiration sont favorisés par une literie inadéquate, un matelas non adapté au format du lit, ou formé de microbilles non adaptées au sommeil. Attention au lit parapluie auquel un matelas est ajouté. Des bébés décédés ont été retrouvés la tête coincée entre ce matelas et la toile du lit, molle et extensible. Contentons-nous du matelas mince et ferme proposé avec ce lit, il est confortable pour le poids d'un nourrisson.

Veillez aussi à éliminer du lit les objets pouvant obstruer les voies respiratoires, couverture, tour de lit, doudous, oreillers, bijoux… Le fameux collier d'ambre prôné par de nombreuses grands-mères et remis à la mode n'a aucun bénéfice prouvé et s'est montré parfois très dangereux pour bébé.

Attention à ne pas faire dormir votre bébé dans un canapé, c'est un facteur de risque souvent constaté, une fois sur six en Angleterre[14]. Des décès ont été constatés avec des poufs, matelas préformés, ou de taille inadaptée au lit, des coussins d'allaitement. Tous ces facteurs de risque sont retrouvés fréquemment lors des décès inopinés des bébés. Les éviter sauvera ainsi beaucoup de nourrissons par des mesures simples.

Le tabac

Le rôle du tabagisme pendant la grossesse, de l'environnement tabagique du nourrisson et de l'oxyde de carbone expiré lors de la proximité nocturne a été largement montré.

Une température trop élevée

Une température trop élevée favorise également le décès : température de la pièce excessive, utilisation de couette, de couverture, de nid d'ange.

Les recommandations internationales actuelles

1. Toujours placer le bébé sur le dos, que ce soit pour la sieste ou pendant la nuit.

2. Ne pas fumer près du bébé et éviter une atmosphère tabagique.

3. Coucher le bébé seul dans un lit d'enfant.

4. Aucun jouet, aucune literie mal ajustée dans le lit d'enfant, le tour de lit est déconseillé.

5. Pendant les six premiers mois, le lit d'enfant doit être placé près du lit des adultes.

6. Le matelas du lit d'enfant doit être plat et ferme et les draps bien ajustés.

7. Le lit d'enfant doit être conforme aux normes en matière de sécurité.

8. Le visage du bébé ne doit pas être couvert, pas de collier, de bijou ou d'objet pouvant entraver sa respiration.

9. Le bébé doit être habillé légèrement et ne pas avoir trop chaud ; une turbulette adaptée à la taille du bébé est conseillée, et non une couverture. La température optimale de la pièce est entre 18 et 20 °C.

10. Partagez cette information avec tous ceux qui prennent soin de votre bébé.

Qu'en est-il du partage du lit des parents avec le bébé ?

L'augmentation actuelle de cette pratique a amené à constater davantage de décès de bébés dans le lit parental.

Cette pratique a augmenté pour plusieurs raisons.

La fatigue des parents est un argument régulièrement avancé, survenant souvent dans un climat d'inquiétude, de questionnement et de désarroi devant les pleurs du bébé au cours de la période postnatale. Les nuits sont difficiles et prendre le bébé dans le lit peut représenter pour les parents un confort ou l'ultime solution après de nombreuses tentatives d'apaisement.

L'allaitement maternel est favorisé dans sa durée et son exclusivité par la proximité, permettant la réponse à la demande irrégulière du bébé, en particulier la nuit; le sommeil du bébé et de la mère est ainsi facilité. Rappelons que l'allaitement maternel modifie le sommeil des mères et des bébés, en particulier grâce à l'action de la prolactine et de l'ocytocine : la maman s'endort plus facilement, mais se réveille aussi plus aisément avec des stimuli moindres. Le bébé est sollicité différemment par la présence de sa mère.

Beaucoup de parents souhaitent également une approche plus « naturelle », plus « bio » et se calquent sur les modèles traditionnels, mais sans le socle culturel et les autres données qui accompagnent ces cultures. Nous avons copié des modèles d'autres traditions sans en avoir tous les codes et les pratiques ancrées. Dans les civilisations sans berceau, les bébés sont le plus souvent allaités, les adultes dorment sur des sols fermes, ne sont pas obèses, ne fument pas, ne boivent pas d'alcool, ne prennent pas de médicaments modifiant la vigilance. Tous ces paramètres interviennent largement dans la non-sécurité de cette pratique.

Enfin, beaucoup de parents vivent dans des conditions sociales et matérielles difficiles, les amenant à un partage du lit avec leur bébé.

Compte tenu de l'enjeu majeur qui est celui de la mort, et malgré ses avantages, cette pratique du partage du lit des parents ne peut être recommandée à tous, sans discernement.

Faut-il la condamner pour autant ? Pour les mères qui allaitent, cela risque de survenir de façon quasi inéluctable au cours de l'allaitement, et il serait dommage de les culpabiliser quand elles s'endorment avec leur bébé près d'elles dans leur lit. La dernière décennie a vu une augmentation de 16 % de morts subites dans un canapé au Royaume-Uni, le parent s'étant endormi auprès du bébé après l'avoir nourri, ne voulant pas le faire dans le lit après que des messages forts ont été adressés aux parents : « Stop au partage du lit[15] ».

Ainsi, l'attitude vis-à-vis de cette question ne peut être qu'individuelle, respectueuse de chaque famille, en informant les parents des facteurs de risque prouvés.

....

Le partage du lit est déconseillé dans les situations suivantes :

- L'allaitement au biberon avec un lait artificiel (effet protecteur de l'allaitement maternel).

- Le tabagisme de la mère ou de la personne dormant à ses côtés (risque lié à l'oxyde de carbone expiré à faible distance du bébé).

- L'obésité maternelle.

- L'usage d'alcool, de drogues ou de médicaments modifiant la vigilance et le sommeil.

- Une maladie maternelle pouvant modifier sa vigilance, une fatigue maternelle anormale, de la fièvre.

- Un bébé malade.

- De mauvaises conditions de couchage : lit inadapté, canapé, fauteuil-poire.

- Literie mal adaptée : couette, oreillers…

- Pièce trop chaude, bébé trop couvert, surpyjama.

- Ancien prématuré ou bébé de petit poids de naissance.

....

En l'absence de ces éléments et si les parents souhaitent partager le lit avec leur bébé, il sera alors recommandé de mettre le bébé du côté maternel et non entre les parents, en s'assurant qu'il dort sur le dos en dehors des tétées, qu'il ne peut tomber, en supprimant la turbulette, la couette et les oreillers, en le posant sur la couverture parentale et non en dessous. La durée de partage du lit sera limitée le plus possible. L'Académie américaine de pédiatrie a montré que plus le partage du lit est long, plus il présente un risque élevé : « Le nourrisson doit être replacé sur une surface de sommeil séparée dès que le parent se réveille. »

Si toutes ces conditions sont remplies, le risque est très diminué et les parents peuvent alors faire leur choix en toute sérénité.

Le recours à l'utilisation d'un lit « side-car » est une solution alliant sécurité et proximité : ce lit est spécialement conçu pour s'accrocher au lit parental, ce qui garantit une absence de séparation entre les deux lits, situés au même niveau et sans discontinuité. Chacun a son espace de sommeil et la continuité entre les deux lits favorise une intervention facile de la maman auprès de son bébé, qu'il s'agisse d'une tétée, d'un biberon ou d'un bercement, par exemple. Cette solution est optimale durant les six premiers mois du bébé, allaité au sein ou au biberon.

Pour les prématurés qui ont été installés dans un cocon et parfois sur le ventre lors de leur séjour en néonatologie, un temps d'adaptation est nécessaire pour dormir sur le dos et sans cocon, avant leur retour au domicile. Tant qu'ils bénéficiaient d'une surveillance cardio-respiratoire avec monitoring, la position ventrale et le cocon étaient possibles et même souvent favorables à leur bien-être, en continuité avec la vie fœtale écourtée. Pour le retour au domicile sans monitoring, cette position sera abandonnée. Un séjour en chambre mère-enfant avec lit side-car avant la sortie du service de néonatologie aura un grand intérêt pour l'adaptation de la maman et du bébé.

CHAPITRE
8

Le bain

« *Lorsque j'entre dans une chambre pour montrer un bain à une mère, j'ai l'impression de lui faire passer un examen qu'elle est sûre de rater.* »

UNE SOIGNANTE EN MATERNITÉ

À travers le monde et l'histoire des hommes, le bain des bébés a toujours été une préoccupation essentielle pour les familles, s'inscrivant dans un rituel et répondant à des normes d'hygiène et de tradition imposées par la société accueillant ce nouveau-né.

Il tient encore une place importante dans nos maternités françaises, réclamé par les parents dès les premiers jours de vie. Les soignantes s'appliquent à le montrer aux parents comme elles l'ont appris à l'école de puériculture, selon une technique protocolisée, que les parents devront s'efforcer d'appliquer de leur mieux. Quelles valeurs, quelles nécessités se cachent derrière ces gestes ? Comment retrouver le plaisir simple de ces moments d'échanges corporels intenses, que l'on souhaiterait doux et agréables ?

UN RITUEL TRADITIONNEL

En France comme dans de nombreux pays, le bain à la naissance a longtemps été pratiqué selon un rituel bien établi. Dans notre société occidentale, des tableaux des xve et xvie siècles nous montrent la naissance de personnages sacrés et leur premier bain, Marie, Jean-Baptiste, Jésus, par exemple. De l'Afrique à l'Asie, le bain tient une place importante dans l'accueil du nouveau-né ou du nourrisson. De solides croyances ont été à l'origine de cette nécessité du bain. Ainsi, il faut débarrasser le nouveau-né des souillures qui recouvrent son corps à la naissance : le vernix, le sang, les mucosités, les restes de liquide amniotique. Le vernix a été interprété en Occident comme les restes de sperme accumulés pendant la grossesse[1]. N'y a-t-il pas aussi derrière tout cela des reliquats de la culture judéo-chrétienne marquée par la faute d'Ève et la souillure de la conception de cet enfant qu'il faut laver dès son entrée dans ce nouveau monde ? Le baptême marque l'entrée dans la religion des chrétiens et le rite de purification par l'eau existe dans toutes les religions. Si vous allez à Bénarès, en Inde, vous serez impressionnés par les pratiques de lavage en tout genre répondant aux rites de purification dans les eaux du Gange. Les rituels les plus variés, s'appuyant sur les croyances les plus diverses, ont ainsi nourri les coutumes des différents peuples du monde. « Quelques crottes de chameau et quelques crottes de chèvre chez les Touareg du Niger, un bouchon de liège et un os d'animal féroce chez les Évé du Togo imprègnent de leur pouvoir magique l'eau du premier bain[2]. » En France, au Moyen Âge, du sel était ajouté dans l'eau pour protéger l'enfant du diable[3]. Dans de nombreuses régions d'Afrique, les bébés sont aspergés, frottés, massés, pétris, pour modeler leur corps considéré comme mou et le fortifier. La mère ou la matrone aspire et crache dans les divers orifices pour les débarrasser des souillures. Le pétrissage de la tête par de multiples moyens, afin de la rendre plus ronde, a aussi été l'usage dans notre pays[4].

Plus proches de nous, des règles d'hygiène sont apparues au début du xxᵉ siècle dans nos maisons et nos hôpitaux, facilitées par l'apport de l'eau courante et de l'eau chaude, et, depuis, les baignoires ont remplacé les bassines métalliques ou en plastique.

Le bain à la naissance a perduré, il est toujours d'actualité dans nos maternités, et il est encore très réclamé par les parents.

Les conseils et soins aux nouveau-nés n'ont cessé de varier à travers les cultures et les époques. Qu'en pensons-nous actuellement[5] ?

EST-CE UN RÉEL BESOIN PHYSIOLOGIQUE ?

Dégagés (plus ou moins), maintenant, de nombreuses croyances et rituels ancestraux, prenons en considération les réels besoins physiologiques du nouveau-né. Nos nouvelles connaissances en ce domaine permettent de mieux respecter la physiologie du bébé à la naissance, qui favorise l'adaptation optimale au nouveau monde dans lequel il est brutalement projeté. Nous comprenons que la première exigence vitale pour le bébé, une fois son premier cri assuré par la bonne mise en place de sa circulation sanguine et de sa respiration, est de maintenir sa température à 37 °C. Et cela lui demande un effort considérable, une mobilisation importante de son énergie. À nous de ne pas aggraver la situation en lui donnant des occasions supplémentaires de se refroidir. Or les études sur la régulation thermique du nouveau-né ont montré que le bain constitue un facteur majeur de perte de chaleur, occasionnant une grande perte d'énergie. Le nouveau-né passe à la naissance de 37 °C dans le liquide amniotique à 20 °C dans l'air ambiant. L'impératif immédiat est donc de le sécher, tout en préservant ce fameux vernix, magnifique pommade protectrice. Alors pourquoi vouloir à nouveau le mouiller, le plonger dans un bain, certes chaud, mais dont il faudra à nouveau le sortir pour le sécher, l'habiller ensuite. Ce bain s'accompagne le plus souvent de pleurs et d'agitation, facteurs supplémentaires de perte énergétique. Si nous le plaçons immédiatement en peau à peau sur sa mère, nous permettons au nouveau-né d'épargner toutes ces dépenses caloriques et énergétiques et de retrouver toute la sensorialité de sa vie intra-utérine, facilitant la meilleure adaptation immédiate à sa nouvelle vie et la rencontre immédiate et magnifique de ses parents. Tout cela a été détaillé dans les chapitres précédents. Ce premier bain à la naissance a donc beaucoup plus d'inconvénients que d'avantages, surtout dans les conditions habituelles de sa pratique.

Au refroidissement, aux pleurs, à l'agitation et au stress qu'il entraîne s'ajoutent la perte des repères sensoriels de sa vie fœtale et une aggravation de sa perte de poids. Le vernix protecteur, le maintien du film cutané apporté par l'accouchement, le contact avec la peau maternelle vont lui fournir tous les éléments protecteurs vis-à-vis d'une infection. Il colonise sa peau avec les germes maternels, bien plus favorables à un bon équilibre bactériologique que les germes hospitaliers des soignants. Retarder au maximum ce premier bain est donc bénéfique pour toutes ces raisons.

De nombreux pays, les pays nordiques, l'Allemagne par exemple, ont adopté cette politique et proposent le premier bain après le quinzième jour, et après la chute du cordon. Bien sûr, il faut nettoyer les « points-clés » nécessaires à une hygiène élémentaire. Si le bébé a le cuir chevelu imprégné d'une couche épaisse de sang agglutiné, on lui donnera un shampoing plutôt que de laisser cela coaguler, formant un casque froid et désagréable, surtout s'il a beaucoup de cheveux.

COMMENT DONNER LE BAIN : À CHAQUE PARENT DE TROUVER SES PROPRES GESTES !

Quand, néanmoins, les parents insistent pour pratiquer ce premier bain durant leur séjour en maternité, je propose de les laisser faire et de leur donner confiance. Ils sont souvent persuadés qu'ils ne savent pas.

Depuis quelques années, les soins en maternité sont soumis à des protocoles précis, les rituels hygiénistes ayant remplacé les gestes culturels ou les rites religieux. Les soins de puériculture sont ainsi devenus un modèle incontournable pour les parents soumis à cette technique obligatoire. Les soignants leur ont fait croire depuis quarante ans à la nécessité absolue de leur intervention et de leur modélisation. Ils doivent même cocher sur une feuille de surveillance si les consignes sont « acquises », « non acquises », ou « en cours d'acquisition » ! Ils se sont substitués aux modèles familiaux totalement disparus. Ainsi vous, les mères, les pères, vous vous sentez incapables de donner ce bain à votre bébé et vous soumettez passivement aux conseils des puéricultrices. Or, si vous faites selon votre bon sens, vous n'allez certainement pas noyer votre bébé !

Ayez confiance en vous-même dès les premiers instants à la maternité ; vous n'avez pas besoin de leçons. Vous saurez baigner votre bébé, à votre façon, et c'est *votre façon* qui sera la meilleure pour *votre* bébé ! Aucune technique de bain n'a fait la preuve de sa supériorité, au contraire, les modèles actuels montrent leurs inconvénients majeurs : le savonnage précédant la plongée dans le bain refroidit beaucoup l'enfant, il est vécu très désagréablement et provoque pleurs et agitation, vous confortant dans votre inexpérience. Nous viendrait-il à l'idée de faire de la même façon pour nous-mêmes ? L'utilisation du savon est également remise en question ; il supprime le vernix et les repères odoriférants du nouveau-né. Il supprime les «bons germes» apportés par le passage dans les voies vaginales maternelles et à proximité du microbiote intestinal de la mère. De nombreux savons et produits d'hygiène pour bébés contiennent des substances susceptibles d'être nocives à court ou moyen terme, notamment à cause de la présence de modificateurs endocriniens. Les dermatologues conseillent actuellement un maximum de deux à trois bains par semaine. Parmi les facteurs favorisant les allergies, le rôle de l'hygiénisme a été évoqué, les enfants vivant dans des milieux moins «aseptisés» présentent beaucoup moins d'allergies que ceux grandissant dans nos pays très propres ! L'usage d'émollients, de crèmes diverses et d'huiles ne doit être réservé qu'aux bébés avec risque d'atopie et d'eczéma[6].

LES SOINS DU CORDON

Ils ont été les plus variés, les plus changeants à travers les pays et les époques. Ces vingt dernières années, nous n'avons cessé de modifier nos protocoles concernant ces fameux soins en maternité, alors que le tétanos ombilical a depuis longtemps, heureusement, quitté nos maternités et que l'infection majeure du cordon, appelée omphalite, est rarissime. La confrontation des différents protocoles n'a pas montré la supériorité évidente de l'un ou de l'autre. L'emploi de certains désinfectants, telle la chlorhexidine, sur le cordon est actuellement remis en question, car il peut être absorbé par la peau et modifier également le microbiome cutané. Non seulement il n'y a pas d'avantages à employer des solutions antiseptiques particulières, mais il existe peut-être des inconvénients loin d'être anodins, surtout pour le prématuré.

Sans parler des conséquences sur le ressenti des mères ; nous entendons en maternité de nombreuses mères exprimer leurs réticences quant à ces soins du cordon, leur incapacité à les réaliser, au point que les pères, de plus en plus présents, se croient obligés de se montrer plus braves et les effectuent gaillardement. Quel sens donner à ces peurs ? Dégoût devant ce petit bout de chair peu appétissant ? Rupture de ce lien maternel perdu à jamais ? Certainement. Mais aussi et surtout peur de mal faire, de ne pas être à la hauteur de ce geste délicat, et finalement peur de ne pas être une bonne mère.

....

«Comment j'ai raté l'examen de passage pour être une bonne mère»

À mon arrivée à la maternité dans laquelle j'exerçais chaque jour mon art de pédiatre, les règles étaient très strictes pour réaliser ces soins du cordon, les soins de la peau, de l'œil, des oreilles… et très stricte était la manière de les enseigner aux mères. J'ai eu la surprise de constater que de nombreuses mères, à qui l'on enseignait ces consignes rigoureuses, se trompaient et mettaient le sérum physiologique sur le cordon et la chlorhexidine dans les yeux ou les oreilles ! Elles s'étaient pourtant si bien appliquées !

Vivant cela comme une catastrophe, comme la preuve flagrante de leur incompétence, ces mères s'enfonçaient dans le désespoir de devenir un jour de bonnes mères. Le jour où ces soins du cordon se sont simplifiés, ce problème a totalement disparu.

....

Il en est ainsi de tant de petits gestes et paroles, chaque jour, dans nos maternités, qui abattent la confiance des mères en elles-mêmes. À force de vouloir les aider, leur enseigner notre savoir-faire avec les meilleures intentions, nous les « formatons » et leur faisons perdre confiance. Laissons donc le bain redevenir un acte spontané et simple, familial, avec le moins de produits sophistiqués possible, tout au plus un savon élémentaire, et de façon retardée par rapport à la naissance. À nous, soignants, de nous montrer modestes, effacés, patients devant les gestes parfois un peu maladroits des parents, et positifs devant la tendresse déployée lors de ces moments d'intimité avec le bébé.

Le bain est une bonne occasion pour observer les compétences et les réactions des bébés : réactions positives de bien-être ou négatives face au froid ou à l'inconfort, marquées par les pleurs, l'agitation, les grimaces de stress et les gestes de crispation ou de retrait. Que ce bain-plaisir devienne pour vous, parents, un moment de découverte des compétences du bébé, une chance de comprendre sa gestuelle, de rencontrer son regard. C'est aussi une rencontre avec le corps du bébé, le plaisir du toucher, de la caresse, de l'enveloppement dans une serviette bien chaude, des regards partagés, du lien créé entre les parents et le bébé[7].

CHAPITRE
9

Le choix de
l'allaitement

«Elle flotte, elle hésite,
en un mot: elle est femme.»

RACINE

Nous avons la chance de vivre dans un pays qui laisse le choix sur de nombreux sujets, notamment celui de l'allaitement. Encore faut-il que ce choix se fasse le mieux possible et en connaissance de cause, sans passion ni parti pris. Or il est, pour l'instant, encore bien souvent fondé sur des croyances, des représentations, des idées reçues, dans un contexte qui n'est pas neutre. Il ne s'agit pas simplement de décider comment alimenter un enfant ; cette question touche la femme au plus intime de son corps, dans son histoire la plus complexe puisqu'il s'agit de son rapport à elle-même, à ses parents, en particulier à sa propre mère, mais aussi à son père, à son histoire personnelle, sa culture, sa religion, ses croyances, ses errances, ses espérances, ses vengeances, ses défis, ses conflits, ses esprits bien ou malveillants ; c'est aussi un rapport aux nouveaux venus dans son histoire plus récente : le père et le bébé. Nous devinons déjà la complexité de ce sujet !

UN CHOIX PARFOIS TRÈS COMPLEXE

Pour certaines femmes, la question ne se pose pas ou à peine : l'allaitement maternel est une évidence pour elles. Cette clarté dans la décision peut venir d'une histoire familiale où la culture a toujours imposé cette pratique, sans alternative. Les femmes qui font ce choix sans plus s'interroger peuvent aussi avoir un rapport harmonieux à leur corps, à leur histoire, à la nature, qui leur fait ressentir une adhésion totale et sans réserve à cette pratique découlant de la physiologie humaine.

D'autres femmes rejettent en bloc cette idée de faire téter leurs seins par un bébé, dans une « rébellion » contre leur culture, leur histoire, les modèles imposés, leur famille, leur mère, leur corps…

Et puis il y a toutes celles qui ne savent pas où se situer : « Elle flotte, elle hésite, en un mot : elle est femme. » C'est une décision qui engage tout son corps et toute son histoire dans sa spécificité de femme et de mère confrontée à de nombreuses contradictions intimes et à celles venant de l'extérieur. Il est donc compréhensible qu'elle « flotte » et qu'elle « hésite ». C'est surtout pour ces femmes hésitantes que l'« information éclairée », comme on le préconise maintenant dans le domaine médical, est importante. Ce sont ces zones d'ombre que nous allons explorer et éclaircir afin d'aider chaque mère à faire le choix le plus juste pour elle, et à ne plus mettre simplement ce choix sur le plan immédiat de la culpabilité. Beaucoup de mères, prenant conscience *a posteriori* de tous les arguments, pourraient avoir des regrets de n'avoir pas été suffisamment informées, et pourraient alors ressentir la « perte de chance », comme cela est évoqué dans le monde médical, puisqu'il s'agit aussi d'un enjeu majeur de santé pour elles, pour le bébé, et un enjeu de santé publique : le manque d'informations suffisantes n'aurait pas permis à ces femmes de faire le meilleur choix pour la santé de leur bébé et leur propre santé.

LES FANTÔMES QUI NOUS HANTENT

Nos ressentis, nos croyances et nos représentations négatives de l'allaitement

Passons en revue les arguments négatifs qui appartiennent au domaine des croyances, idées reçues, représentations, et se rapportent au monde de l'imaginaire, fruit de constructions complexes élaborées par nos pensées riches en fantasmes et parasites.

La peur de l'échec : rendez-vous en terre inconnue

Le ressenti dominant des mères face à la maternité et à l'allaitement est la peur : peur de ne pas être la « bonne mère parfaite », peur de la grossesse, de l'accouchement, et peur de l'allaitement. En France, lorsqu'on demande à une mère si elle souhaite allaiter son bébé, si elle a envisagé de le faire, elle vous répond alors le plus souvent : « Je vais essayer. » Il ne viendrait pas à l'idée d'une mère, dans un pays où l'allaitement est une évidence pour la survie du bébé, de penser cela. Nous vivons dans une dynamique de réussite, de performance, d'immédiateté, de contrôle, toutes valeurs en totale contradiction avec celles de la maternité et de l'allaitement. Les mères, confrontées à ce modèle social de perfection, de rendement, d'efficacité, risquent donc d'être vouées *a priori* à l'échec face à ces exigences trop élevées pour elles, dans un monde totalement inconnu d'elles, inexploré jusqu'alors, et dépourvu de modèles.

Éduquées jusqu'alors pour être des femmes accomplies physiquement et socialement, des professionnelles diplômées et performantes, des compagnes séduisantes et attentives, parvenues au sommet d'une vie maintenant comblée par une maternité choisie, désirée, programmée, elles se retrouvent, non préparées, dans un univers totalement inconnu : « Rendez-vous en terre inconnue ». Face à ce « désert culturel de la maternité » qui s'étend devant elle, la mère ne peut que ressentir une grande peur, un désarroi immense, un vertige du corps et de la pensée. Maintenant que ce bébé est « lancé », il faut bien assumer la grossesse, soutenue et portée par un arrimage médical qui s'apparente à un échafaudage en béton ; il faut assurer l'accouchement et, heureusement, il y a la péridurale pour ne pas trop souffrir.

Reste l'allaitement. Et là, un choix reste à faire ! Nous en comprenons ainsi la difficulté.

Avec cette peur au ventre et dans ses seins, la mère va donc piocher dans sa vie, son histoire et son entourage tout ce qu'elle peut pour asseoir sa décision.

Les clichés négatifs

Les méchantes fées porteuses de mauvais sorts surgissent alors :

La grand-tante : « Oh, tu sais, dans la famille, on n'a pas de lait. »

La belle-mère : « Ton lait n'est pas bon, il vaudrait mieux du vrai lait au biberon. »

Le médecin : « Il faudrait compléter, car vous voyez que votre bébé ne grossit pas assez avec votre lait, il n'est pas assez riche. »

Le papa : « Pourquoi t'embêter avec tout cela, tu ne sais pas combien tu donnes à notre bébé, reçoit-il sa bonne ration ? »

La cousine : « J'ai eu des crevasses très vite, un vrai calvaire, je ne te dis pas comme j'ai souffert ! »

Face à tous ces on-dit, une bonne information est nécessaire et peut venir détruire ces clichés ne reposant sur aucune réalité physiologique. Redisons-le fermement, maintenant que les connaissances en physiologie de l'allaitement sont enfin établies sur des bases scientifiques solides, nous savons que toutes ces affirmations véhiculées par notre culture sont fausses et se doivent d'être rectifiées auprès des mères[1]. Les femmes africaines, même si elles vivent pauvrement et sont parfois très maigres, ont des bébés en bonne santé qui connaissent une bonne croissance tant qu'ils sont allaités et ces mères ne se posent pas toutes ces questions.

Nous savons que le lait est fabriqué par le bébé, en tétant souvent et efficacement. S'il n'y en a pas assez, c'est que les tétées ne sont pas assez fréquentes ou pas assez efficaces : le nourrisson « tétouille » au lieu de prendre correctement le sein parce qu'il n'est pas positionné de façon optimale pour son confort et celui de sa maman ; c'est ainsi que se créent des crevasses, si douloureuses ; lorsque la mère et le bébé sont bien positionnés, celui-ci ouvrant bien la bouche pour prendre une grande partie de l'aréole, avec une bonne succion et une bonne déglutition, et des tétées fréquentes, non douloureuses, le lait est fabriqué en bonne quantité, et il est adapté aux besoins du nouveau-né ; s'il y a deux bébés, les besoins des jumeaux seront satisfaits.

Il suffit de pas grand-chose pour que l'allaitement s'engage sur un chemin difficile ou heureux. L'accompagnement par une personne compétente, sage-femme ou consultante en lactation, par exemple, peut ainsi changer radicalement le cours de l'allaitement. Au lieu de compléter très vite avec l'apport de biberons, qui réduit les chances de réussite de l'allaitement, l'aide d'une personne formée à la physiologie de la lactation peut très vite relancer un allaitement insuffisamment établi, à condition de ne pas tarder. Cette accompagnante donne à la maman les repères pour un allaitement efficace. La mère pourra ainsi accepter de proposer son sein, qui ne comporte pas les graduations rêvées permettant le dosage exact des quantités données à son bébé.

Tout cela redonne confiance à la mère, confiance dans son corps, ses seins, sa capacité à répondre pleinement aux besoins élémentaires de son bébé, et lui confirme que, contrairement aux transmissions populaires, voire médicales, le lait maternel est toujours bon, toujours riche, toujours adapté aux besoins du bébé. Et si sa cousine ou elle-même a eu des crevasses, ce n'est pas parce qu'elle est rousse ou que sa peau est particulièrement fragile ; ce n'est pas une fatalité : il suffit de bien positionner le bébé pour cet allaitement.

Il faut que vous, les mères, sachiez que les allaitements qui échouent ne sont pas dus à une incapacité à allaiter, mais, pour une grande part, à l'absence de modèles et d'accompagnement pertinent : nos mères n'ont jamais vu de bébés au sein et appartiennent à une génération issue de la période où l'allaitement maternel a été au plus bas de l'histoire de l'humanité. Elles ont donc un besoin essentiel de soutien, d'accompagnement éclairé, par des personnes qui leur apportent les réponses adéquates, et non la transmission de croyances. Il se trouve, et c'est heureux, que les données de la science en matière d'allaitement maternel sont le plus souvent en cohérence avec les traditions populaires des pays qui le pratiquent depuis toujours à travers le monde, à l'exception du don de colostrum, longtemps refusé aux nouveau-nés. Notre connaissance scientifique de la physiologie de la lactation humaine (lire le chapitre suivant, consacré à l'explication des mécanismes de la lactation) remplace désormais la transmission de mère à fille ou de mère à mère, mais est en cohésion avec les pratiques des pays qui ne l'ont jamais abandonné. Souhaitons que cette transmission transgénérationnelle puisse être recréée auprès des futures mamans.

Les doutes personnels

Aux fées malveillantes de l'entourage se joignent les fées personnelles sceptiques, qui hantent les mères sur ce chemin désertique et aventureux de la maternité et de l'allaitement, sur lequel s'élèvent des barrières érigées par leurs propres représentations : « Je vais être très fatiguée, bébé va beaucoup réclamer la nuit », « C'est un véritable esclavage, je suis à la merci de ce bébé jour et nuit », « Je ne pourrai plus manger ni boire ce que je veux ».

Ces mamans, qui sont actuellement de moins en moins de « jeunes mères », comme nous le disions autrefois, quittent, en entrant dans leur maternité, une vie autocentrée sur leur travail, leurs responsabilités, les nécessités du quotidien, leur bien-être, leurs plaisirs, leur épanouissement, leur réussite personnelle et sociale dans un environnement souvent très individualiste. Les valeurs dominantes de notre société ne sont plus le dévouement, l'abandon de soi, la femme dévouée, au service de son mari et de ses enfants. Elle n'est donc pas prête à mettre à disposition son temps, ses nuits, son corps, pour un petit être qui sera totalement dépendant d'elle pendant quelques semaines ou quelques mois de sa vie. L'idée qu'elle s'en fait est beaucoup plus pesante que la réalité qui l'attend. Notre fatigue est souvent le résultat de ce hiatus entre représentation et réalité. Le stress ressenti est l'effet de cet écart entre ce que nous souhaitons, ce que nous prévoyons et programmons, et la réalité. Ce qui va fatiguer obligatoirement une nouvelle maman, c'est d'être mère et d'avoir un enfant qui, de toute façon, sera dépendant d'elle quoi qu'il arrive, qu'elle allaite ou non, et ce pour toute la vie.

De plus, l'allaitement n'empêche pas la mère de vivre, boire et manger pratiquement tout ce qu'elle souhaite ; elle vit autrement, habitée par une autre personne qu'elle-même. C'est le même phénomène lorsqu'on tombe amoureux. Alors qu'auparavant nous n'étions préoccupés que par nous-mêmes ou par des proches plus ou moins présents dans notre vie, tout à coup nous devenons habités par quelqu'un d'autre qui envahit notre monde intérieur, nous obsède et absorbe toute notre énergie. C'est ce qui se passe avec la maternité et que Winnicott appelle « la préoccupation maternelle primaire » : « Dans cet état, la mère peut se mettre à la place de son nourrisson. Elle fait alors preuve d'une étonnante capacité d'identification à son bébé, ce qui lui permet de répondre à ses besoins fondamentaux comme aucune machine ne peut le faire et comme aucun enseignement ne peut le transmettre[2]. »

Cet état se met en place progressivement au cours de la grossesse, mais peut être plus ou moins semé d'embûches sur le chemin de la maternité, d'ordre personnel ou culturel, comme nous l'avons vu plus haut. L'hypermédicalisation de la surveillance de la grossesse, la faisant souvent apparaître aux yeux des mères comme une grossesse à risque, est certainement un autre obstacle à l'instauration paisible de cette préoccupation primaire.

L'information éclairée prénatale

Il me paraît important de fournir aux mères, avant la naissance, l'information la plus juste concernant leur allaitement. Pour vous donner une image aussi réelle que possible de l'allaitement maternel, je vous le présente en deux phases bien distinctes : le démarrage et la phase de croisière.

La première phase de lancement de la lactation durant les quinze à vingt premiers jours qui suivent l'accouchement, que nous appelons le post-partum, est une période délicate, et que l'on pourrait même qualifier souvent de difficile. Elle succède à l'accouchement, qui est, pour chaque femme, un événement bouleversant au sens le plus fort. L'allaitement complète alors le chaos de cette période et notre inexpérience personnelle et culturelle en ce domaine y ajoute difficulté et désarroi.

Mais une fois sorti de cette tourmente physique et psychique, l'allaitement entre alors dans sa phase de croisière. Vous commencez à vivre une période beaucoup plus sereine, dans un bien-être physique, hormonal et psychologique exceptionnel, en union intime avec votre bébé. L'ocytocine, hormone libérée en abondance durant l'allaitement, procure une quasi-euphorie, un vrai plaisir, que vous garderez dans votre cœur toute votre vie. Cela explique aussi pourquoi les mamans qui ont un allaitement bien installé souhaitent le poursuivre et ont beaucoup de mal parfois à l'interrompre tant cette période est précieuse et épanouissante pour elles. Nous sommes donc très loin d'un esclavage subi et contraignant.

L'image du corps : sein féminin, sein sexuel, sein maternel

Les autres fantômes qui peuvent hanter la future mère sont en rapport avec son corps : « Je vais déformer mes seins », « Cela fait vache laitière », « Je ne veux pas montrer mes seins en public, je suis trop pudique», «Je ne peux pas imaginer qu'un bébé puisse me toucher les seins et me téter».

Ces questions touchent au plus intime et dévoilent les trois représentations des seins: le sein féminin, le sein maternel, le sein sexuel. Notre société est actuellement envahie et dominée par les images du sein sexuel, influençant ainsi la représentation de cet organe dans l'intimité de chaque femme. La place de plus en plus importante de la chirurgie esthétique, de la presse people, des top-modèles, qui pèsent sur nos conceptions du corps féminin, a semé un grand désordre dans le corps et la tête de nombreuses femmes (et de nombreux hommes!). La prise de conscience de ces phénomènes ne suffit pas à résoudre les difficultés qu'ils engendrent dans le ressenti profond d'une femme.

Nous pouvons cependant apporter quelques informations sur la supposée déformation des seins par l'allaitement maternel; le sein peut être déformé par deux éléments: d'une part, la modification de volume, surtout si elle est brutale et importante. La puberté, la grossesse, la montée laiteuse peuvent occasionner ces modifications; ils sont très variables d'une femme à l'autre et la femme n'a aucun pouvoir pour intervenir sur ces changements anatomiques; l'allaitement maternel bien conduit peut parfois éviter une très grosse montée laiteuse, moins contrôlable lors d'un non-allaitement. Le deuxième élément déterminant est la qualité du tissu élastique de chacune; et, là non plus, nous n'avons aucun élément de contrôle possible. Il faut donc nous résoudre à accepter cette injustice flagrante devant l'inégalité des conséquences des changements de volume de nos seins au cours de notre vie, qu'il y ait ou non allaitement. La maternité est un privilège féminin qui comporte d'immenses joies, et aussi des modifications corporelles qu'il faut assumer et intégrer dans notre histoire et notre vie de femme.

Le rapport à la pudeur, au contact corporel, appartient à l'intimité profonde de chaque femme. La grossesse et l'accouchement sont des occasions de chamboulement profond du rapport au corps que chaque femme subit et ressent. L'allaitement peut être choisi ou non en fonction de ce ressenti. Cette décision appartient donc à l'intime de chaque mère. Le côté animal de l'allaitement maternel est souvent évoqué aussi, en particulier lorsque le tire-lait est nécessaire.

Le poids de l'histoire et de la culture

Nous venons de voir les croyances et les ressentis personnels négatifs sur l'allaitement maternel. S'y ajoutent, dans notre société, de nombreux arguments négatifs véhiculés par notre culture. Nous sommes les héritiers d'une longue histoire de l'allaitement, qui s'est appuyée, depuis de nombreux siècles, sur les compléments de laits animaux, d'une part, sur les nourrices, d'autre part, dans l'alimentation de nos bébés français[3]. En voici quelques traces dans notre mémoire collective.

De notre héritage gréco-latin, nous gardons peut-être l'empreinte de Zeus, nourri par la chèvre Amalthée, et de Romulus et Rémus, allaités par une louve. La croyance, longtemps répandue à travers le monde et au cours des siècles, selon laquelle les rapports sexuels étaient interdits pendant la grossesse et l'allaitement, n'a pas posé de gros problèmes dans les pays où règne la polygamie ; mais dans les sociétés monogames, il fallait trouver une solution à cet interdit : soit le transgresser, ou bien prendre une nourrice pour échapper à cette contrainte. Ainsi, les riches qui en avaient les moyens recouraient à une nourrice.

Au temps de saint Vincent de Paul, dès 1638, les nombreux bébés abandonnés dans les « tours » et recueillis dans les hospices étaient nourris par des laits animaux, (de chèvres, d'ânesses…). On connaît le grand taux de mortalité de ces nouveau-nés. Ensuite, les XVIIIe et XIXe sont deux longs siècles de placement en nourrice pour les bébés des villes, en particulier à Paris ; ils étaient abandonnés dès la naissance et envoyés chez des nourrices, où la mortalité était fréquente également. Élisabeth Badinter a conclu de cette « mode » que l'instinct maternel n'existe pas[4] ; je crois plutôt que cette pratique a rendu de nombreuses mères très malheureuses ; j'en retiens aussi que l'on peut faire pratiquer à des populations entières des actes contraires au bon sens et à la tendance naturelle, sous la pression de croyances ou d'intérêts économiques par exemple.

L'utilisation du caoutchouc a facilité l'administration des laits animaux avec des tétines mieux adaptées. Pasteur a introduit un progrès majeur dans l'asepsie du lait animal par le chauffage, la pasteurisation, évitant ainsi la transmission de nombreuses infections. Puis, au cours du XXe siècle, les industriels ont amélioré le lait de vache, le plus facile à produire en grande quantité, afin de le rendre plus tolérable par les bébés humains. Au « lait concentré sucré Nestlé » ont succédé tous les laits produits par les entreprises spécialisées, qui les ont remaniés pour les rapprocher du lait maternel, les appelant même lait « maternisé », supercherie interdite depuis, mais qui a fait croire à de nombreuses populations à l'équivalence, voire à la supériorité de ces laits par rapport au lait maternel, entraînant de nombreux dégâts dans les pays en voie de développement.

En France, un certain féminisme égalitaire, comparé au féminisme identitaire des pays nordiques, a également contribué à mépriser l'allaitement, le considérant comme un esclavage féminin dont il était bon de se libérer, comme on a pu se libérer d'une maternité obligée grâce à la contraception. Nous voyons aussi beaucoup de papas qui, partant d'un bon sentiment, souhaitent libérer leur compagne de cette contrainte et partager le nourrissage de leur bébé, au moins partiellement, revendiquant ainsi un « paternisme égalitaire ». Les pères peuvent faire beaucoup pour leur enfant et pour soulager la maman, autre que le nourrissage des premiers mois. Un chapitre leur est consacré.

Enfin, notre rapport au corps est particulièrement complexe dans notre société, rendant le contact du sein plus difficile que dans de nombreux autres pays, de l'Afrique aux pays scandinaves par exemple.

Voilà posés quelques jalons historiques et culturels expliquant notre avant-dernier rang mondial, juste avant l'Irlande, pour notre taux français d'allaitement maternel. Tous ces éléments pèsent lourd et de façon insidieuse sur la décision d'allaiter pour chaque femme et restent un obstacle à la progression de l'allaitement maternel en France.

LES CONTRE-INDICATIONS MÉDICALES À L'ALLAITEMENT MATERNEL

Les véritables contre-indications à l'allaitement pèsent pourtant faiblement par rapport à tous ces arguments négatifs. Il faut cependant les connaître et les respecter.

Côté bébés, une seule maladie métabolique très rare contre-indique l'allaitement maternel : la galactosémie.

Côté mères, certaines pathologies empêchent ce mode d'alimentation, du fait de la maladie ou des traitements qu'elle implique : c'est le cas des mères porteuses du VIH, en France (en Afrique, le risque du non-allaitement est supérieur au risque de transmission du VIH par l'allaitement maternel). Un cancer, une tuberculose en évolution, de graves troubles psychiatriques et les traitements qui s'y rapportent empêchent l'allaitement. Plusieurs antiépileptiques (en particulier la Depakine ou Valproate) sont déconseillés. Les hépatites et le tabagisme ne sont pas des contre-indications. Il est bon d'éviter cependant le tabac, les drogues et l'alcool. De nombreux médicaments sont compatibles avec l'allaitement maternel. Il existe de multiples sources de renseignements, en particulier le Crat (Centre de référence sur les agents tératogènes), permettant d'obtenir les meilleures informations[5].

LES BÉNÉFICES DE L'ALLAITEMENT MATERNEL

Ayant identifié tous ces obstacles, penchons-nous maintenant sur les bénéfices de l'allaitement maternel. Il en est un que nous devons mettre en exergue : l'argument santé.

Nous connaissons actuellement un regain d'intérêt pour l'alimentation saine et envisageons le rôle majeur de l'intestin dans notre santé et dans la qualité globale de notre vie : en témoignent les messages publicitaires tels que « Manger cinq fruits et légumes par jour » ou le succès du livre *Le Charme discret de l'intestin* de la jeune Allemande Giulia Enders[6]. L'allaitement comme nourriture exclusive pour le bébé jusqu'à six mois se place dans cette perspective de qualité de santé pour chaque individu et se révèle un élément très important de santé publique. Toutes les études sur le lait maternel, en prouvant ses bénéfices sur la santé, ont abouti à cette recommandation de l'OMS : un allaitement maternel exclusif durant les six premiers mois de vie puis partiel jusqu'à l'âge de 2 ans.

L'ensemble des études contribue à établir des « recommandations fondées sur des preuves » : l'« evidence-based medicine ». L'OMS et la Haute Autorité de santé (HAS) en France ont donc émis, à la suite de très nombreuses études concordantes, ces recommandations en faveur de l'allaitement maternel. Ces études se fondent sur des données statistiques qui ne se révèlent pas toujours exactes pour l'individu. Elles sont réalisées à partir de grands échantillons de population à travers le monde et sont unanimes pour montrer les immenses avantages sur la santé des populations étudiées en comparaison avec celles qui ne bénéficient pas d'un allaitement. Les bénéfices santé sont prouvés pour un allaitement maternel exclusif d'une durée minimum de quatre mois. Cela ne signifie pas qu'un allaitement partiel ou de durée inférieure ne sert à rien ! Ces bénéfices santé valent à la fois pour la mère et pour l'enfant[7].

Pour la mère

Pour la mère, les bénéfices à court, moyen et long termes sont de mieux en mieux prouvés et connus.

Les suites de l'accouchement sont facilitées : l'ocytocine sécrétée lors des tétées favorise les contractions utérines et le retour de l'utérus à son volume antérieur ; la femme saigne moins longtemps et est donc moins anémiée. La perte de poids de la maman sera aussi plus rapide, la graisse du lait fabriqué étant puisée dans les stocks de graisse maternels. L'allaitement diminue l'incidence des cancers du sein et de l'ovaire avant la ménopause. Le risque d'ostéoporose est également diminué, réduisant ainsi, plus tard, le risque de fracture lors de la ménopause. Des études très récentes ont montré les effets importants de l'allaitement sur la santé des mères, effets corrélés à la durée cumulée de l'allaitement au cours de la vie de ces mères[8] ; la mortalité cardio-vasculaire des mères âgées de moins de 65 ans n'ayant pas allaité est presque trois fois plus élevée que celle des mères ayant allaité vingt-quatre mois ou plus, la diminution du risque étant très significative à partir de sept mois d'allaitement cumulés. Ces risques sont fondés sur l'existence des facteurs suivants : l'obésité, la graisse abdominale mesurée par le périmètre abdominal, le diabète de type 2, l'hypertension artérielle ; tous ces facteurs peuvent engendrer infarctus ou accident vasculaire cérébral à l'origine des décès.

Cet effet protecteur est à rapporter à l'ocytocine, cette merveilleuse hormone sécrétée lors de l'allaitement maternel, qui est une hormone antistress, apportant plaisir, détente ; tous ces bénéfices retentissent sur les organes touchés par le stress. Cette femme qui a été imprégnée par cette hormone durant plusieurs mois garde donc tout au long de sa vie les bénéfices de ce bain antistress vécu au cours de son ou de ses allaitements. N'est-ce pas magnifique ? Cette hormone procure aussi des bénéfices immédiats au décours de l'accouchement, bien-être physique et psychique, antistress, antidouleur, aidant à s'adapter et à s'attacher au nouveau-né. Elle diminue également le risque de dépression postnatale.

Pour le bébé

Pour le bébé, les avantages sont majeurs et multiples, de plus en plus démontrés, et là aussi à court, moyen et long termes.

Vis-à-vis des infections, l'effet protecteur du lait humain est prouvé depuis de nombreuses années. Le nouveau-né est confronté très vite aux multiples virus, germes, parasites, champignons, et ce par trois voies d'accès principales : digestive, respiratoire et cutanée. Ces agressions sont d'autant plus favorisées qu'il est prématuré, ou fragilisé par des effractions cutanées, par exemple s'il a des perfusions, des sondes digestives, ou s'il a subi des interventions chirurgicales, malgré toutes les précautions médicales. Chez le bébé en bonne santé à terme, ce sont les voies respiratoire et digestive qui sont les plus propices aux infections, surtout s'il a un aîné qui fréquente l'école maternelle ou la crèche, ou s'il fréquente celle-ci rapidement.

L'allaitement le protège des rhino-pharyngites, bronchites, bronchiolites, pneumopathies, otites, contractées dans ses voies respiratoires. Le lait maternel lui épargne diarrhées, gastro-entérites, voire déshydratation engendrée par ces atteintes digestives conduisant parfois à l'hospitalisation. Bien sûr, l'allaitement n'isole pas totalement de tous ces maux quasi inévitables de la petite enfance, mais il en diminue la fréquence et l'intensité. Plus récemment, un mécanisme antiviral a été retrouvé dans le lait maternel capable d'inactiver le virus de l'hépatite C porté par la mère, mais aussi celui de l'herpès ou de la grippe. L'allaitement diminue également les risques allergiques, asthme et eczéma, surtout lorsqu'il existe un risque familial, sans toutefois, là encore, le supprimer totalement. Il diminue le risque d'obésité, améliore le développement cognitif, en particulier chez le prématuré. Rappelons que tous les prématurés en France sont nourris au lait maternel avant 32 semaines, tant les bénéfices de cette alimentation sont probants et empêchent des complications infectieuses.

Intéressons-nous de plus près à la voie intestinale du bébé, ce deuxième cerveau actuellement tant vanté, dont les articles médicaux relatent les prodiges. Regardons de près les données de cet organe et de son contenu bactériologique. Les bacté-riologistes ont montré une différence nette et durable de la flore intestinale entre un bébé né par césarienne et un bébé né par voie vaginale, différence également notable entre un bébé nourri au lait de vache et un autre nourri au lait maternel. Lors d'un accouchement par voie basse, le bébé va non seulement être colonisé par les germes du vagin, mais aussi par les germes intestinaux maternels (des selles sont souvent émises lors de l'accouchement et bébé va en tirer grand bénéfice, oui, oui!): « Il boit un peu la tasse » et se rince le tube digestif avec les germes qui se promènent là, spécifiques de cette maman-là, vivant dans cette famille-là. Notre nouveau-né reçoit donc un « cocktail d'accueil » contenant les antigènes, mais aussi les anticorps propres à la famille dans laquelle il va vivre. Et cela sera complété par les germes cutanés et respiratoires de la maman, s'il est accueilli en peau à peau et s'il y reste un bon moment pour profiter des apports de cette proximité. Cet apéritif nutritif, composé de « bons germes », complété rapidement par la première tétée apportant le colostrum, fournit au tube digestif du bébé le premier ingrédient précieux pour constituer ses défenses immunitaires.

En effet, c'est à partir de l'intestin que se fabrique tout l'appareil immunoallergique du nourrisson[9]; c'est là qu'il met en place son écosystème immunologique, et qu'il l'instaure pour toute sa vie, au mieux à partir de cette colonisation bactérienne initiale complétée exclusivement par le colostrum et le lait maternel. Vous en saisissez donc le précieux intérêt pour la santé future de notre bébé.

Tout cela constitue aussi un argument important pour respecter la physiologie de la naissance, ne pas séparer le bébé de sa mère, ne pas intervenir par des gestes inutiles pratiqués par des soignants porteurs de germes hospitaliers parfois « méchants », ne pas le baigner, bref, le laisser tranquillement en peau à peau sur sa maman.

Outre la prévention des infections et de l'allergie, l'allaitement maternel a de nombreux autres effets bénéfiques sur la santé des enfants. La courbe de poids des bébés allaités est différente de celle des bébés au biberon : ils grossissent davantage les quatre premiers mois pour ralentir ensuite, avec un poids inférieur, à l'âge de un an, à celui des bébés nourris au lait de vache. L'allaitement prévient l'obésité, le risque vasculaire (comme pour la mère), le diabète de type 1, peut-être partiellement les maladies inflammatoires du tube digestif. Il améliore enfin les performances cognitives.

Les autres avantages objectifs de l'allaitement maternel sont d'ordre économique : pas d'achat de lait ni de biberons. Ces bénéfices pécuniaires ont été chiffrés pour les familles, mais aussi pour la société : moins de maladies, donc de soins médicaux, d'hospitalisations, d'arrêts de travail pour les parents. Certains employeurs ont compris cela en favorisant ainsi la poursuite de l'allaitement maternel pour leurs employées. Si certaines femmes se sentent dans un état de grande dépendance durant cette période, d'autres au contraire trouvent cela plus facile que de donner un biberon : c'est toujours disponible, prêt à servir, à bonne température, avec le bon débit, bien parfumé et varié selon l'alimentation maternelle, ce qui prépare le bébé à la diversification ultérieure. Celui-ci est facile à satisfaire, à consoler en toute circonstance. C'est aussi l'entrée dans un maternage plus proximal, plus intime avec le bébé, qui favorise l'éclosion des sens et l'attachement réciproque. La maman est bien aidée par l'ocytocine ; ce plaisir intense partagé avec son bébé l'aide à supporter les contraintes quotidiennes, jour et nuit. L'échange corporel soutenu, répété, accompagné de regards partagés lors de chaque tétée, crée une complicité, un lien très intense entre maman et bébé, véritable échange psychique, base solide d'attachement et de confiance.

Aussi, ne nous arrêtons pas aux difficultés ou aux préjugés initiaux, qui peuvent être surmontés par un accompagnement efficace. Ensuite, c'est une magnifique période partagée entre maman et bébé, soutenus si possible par un papa admiratif, protecteur et bienveillant.

CHAPITRE
<u>10</u>

La lactation :
comment ça marche ?

*« Nourrir, c'est enfanter à toute heure [...].
Quels rêves on fait en le voyant suspendu par
les lèvres à son trésor [...] on voit ce que devient
le lait, il se fait chair, il fleurit au bout de ces
doigts mignons qui ressemblent à des fleurs
et qui en ont la délicatesse. [...] Être nourrice,
c'est un bonheur de tous les moments. [...]
Nourrir, c'est une transformation qu'on suit
d'heure en heure et d'un œil hébété. »*

BALZAC

P enchons-nous maintenant sur le fonctionnement de la glande mammaire et sur le mécanisme de la lactation. Ce chapitre est un peu technique ; j'espère, vous faire comprendre, en quelques pages, les principales données sur la physiologie de cet organe resté longtemps bien mystérieux, sans toutefois en rompre tout le charme !

UN PEU DE THÉORIE

Un organe longtemps inexploré

L'intérêt scientifique pour le fonctionnement de la glande mammaire et de la lactation est très récent, de réels progrès dans la connaissance de cet organe spécifiquement féminin n'étant survenus que depuis une vingtaine d'années. Peut-être cette fonction n'avait-elle été regardée jusqu'à présent par les médecins que comme une « affaire de femmes », ou un processus naturel sans grand intérêt ? La connaissance précise des mécanismes du fonctionnement rénal, du pancréas avec le diabète, de la thyroïde, de la pompe cardiaque, etc., tout cela était certainement considéré comme beaucoup plus passionnant à expliquer. Seuls les vétérinaires s'étaient intéressés à la question concernant les vaches, pour des raisons économiques évidentes.

Il a peut-être fallu que la médecine se féminise et que des femmes pénètrent le pré carré des obstétriciens et des services de pédiatrie pour que la science commence à s'intéresser de près à cette magnifique glande, dont le fonctionnement était resté jusqu'alors assez mystérieux. L'équipe australienne de Peter Hartmann, grâce à l'utilisation de l'échographie, fut pionnière pour explorer les secrets cachés de cet organe[1].

Nous allons nous pencher sur le fonctionnement de cette glande si particulière, dont les mystères n'ont certainement pas fini d'être révélés. Son originalité, en dehors de son pouvoir de séduction bien connu, est de ne fonctionner, dans sa plénitude qui est la lactation, que de façon temporelle, provisoire, à des moments très particuliers de la vie, lors des maternités[2].

Cet organe, nous le savons bien, et cela fait une grande partie de son charme, peut revêtir des formes et des volumes très variables d'une femme à l'autre. Les variations de volume sont davantage liées à la présence de graisse qu'à la quantité de glande. Il existe aussi une grande variabilité individuelle dans la physiologie de la lactation.

La glande est constituée de plusieurs éléments, dont trois nous intéressent particulièrement : les cellules qui fabriquent le lait groupées en alvéoles, les vaisseaux qui la nourrissent, et le filet contractile qui entoure les alvéoles. Imaginez une grappe de raisin ; chaque grain s'appelle une alvéole, est entouré par des vaisseaux sanguins et un filet contractile, comme un réseau de fils élastiques appelés fibres myoépithéliales. Ces grains sont groupés en lobules et en lobes avec des canaux appelés « canaux galactophores », qui transporteront le lait produit dans chaque grain jusqu'au bout du mamelon, sous l'effet des fibres élastiques qui le propulsent vers l'extérieur. Nous nous pencherons tout particulièrement sur le fonctionnement de la production du lait dans chaque cellule, et sur l'éjection du lait depuis l'alvéole, le long des canaux, jusqu'à la sortie dans la bouche du bébé.

Cette glande se développe
en trois grandes étapes

La première est la puberté, la deuxième commence avec le début de la grossesse, la troisième après l'accouchement, sous l'influence d'hormones spécifiques à chaque période.

- Le développement mammaire apparaît, comme chacun le sait, à *la puberté* chez la fille (parfois aussi un peu et transitoirement chez certains garçons). Certaines femmes ressentiront leurs seins à chaque cycle menstruel, juste avant les règles, d'autres non.

- *Dès le début de la grossesse*, les seins sont modifiés. Cette modification mammaire est souvent le premier symptôme ressenti par la femme enceinte, pour certaines le premier indice, et d'ailleurs les seins sont prêts à nourrir un bébé même prématuré, dès 24-25 semaines. La physiologie humaine a même prévu la prématurité !

- Cette glande va prendre un nouvel élan après l'accouchement, grâce à la chute des hormones de la grossesse, déclenchant ce que nous appelons vulgairement la *montée laiteuse*, nommée scientifiquement lactogenèse (beaucoup plus joli !). Ce délai peut être variable d'une femme à l'autre, en moyenne deux à cinq jours, délai plus court en principe après plusieurs allaitements.

Pour qu'un allaitement fonctionne,
il faudra trois conditions

- ***Une glande mammaire pouvant fabriquer le lait.*** Tous les seins, même petits, en sont *a priori* capables, à de rares exceptions près (chirurgie mammaire, maladies hormonales par exemple). La fabrication du lait par chaque alvéole sera déclenchée par l'hormone nommée prolactine.

- **Le lait fabriqué doit être éjecté.** L'hormone active sur les fibres myoépithéliales chargées de faire jaillir ce lait est l'ocytocine.
- **Un bébé qui tète le sein.** En tétant, il doit faire deux choses correctement : stimuler les bons récepteurs qui envoient le message déclenchant le largage des hormones, et vider le sein afin qu'il se remplisse à nouveau.

Détaillons chaque condition.

Première condition :
la fabrication du lait grâce à la prolactine

La prolactine est sécrétée par l'hypophyse, petite glande située dans le cerveau. L'hypophyse est la « centrale hormonale » qui commande toutes les hormones du corps. L'interrupteur qui va déclencher la production de cette hormone et son largage dans le sang est la succion du bébé sur le sein. Mais attention, pas n'importe quelle succion : s'il tétouille le mamelon en le pinçant, non seulement il fait mal à sa maman, mais il ne stimule pas les bons récepteurs à l'étirement, sorte de petits ressorts qui, activés, lancent la production de prolactine. Ces petits ressorts sont situés à la périphérie de l'aréole, la partie colorée autour du mamelon. Il faut donc qu'il ouvre grand la bouche, qu'il en ait « plein la bouche », pour créer la bonne stimulation permettant le largage de la prolactine. C'est également cette bonne succion, avec une grande partie de l'aréole dans la bouche du bébé, qui va créer des récepteurs à la prolactine dans les alvéoles. La prolactine est comme une clé qui déclenche la fabrique de lait. Les récepteurs à la prolactine sont la serrure, ils sont fabriqués sous l'influence de la succion efficace du bébé, qui programme ainsi la capacité à produire du lait. C'est le bébé qui calibre et détermine la production de lait par sa bonne succion, fréquente et efficace. S'il y a deux bébés qui tètent efficacement, il y aura deux fois plus de lait. Si le bébé tétouille de façon peu efficace ou trop rarement, il y aura très peu de lait.

Vous comprenez l'importance des tétées fréquentes et efficaces, et volontiers sur les deux seins au début pour lancer la lactation et conditionner le sein à fabriquer la quantité de lait nécessaire pour nourrir ce bébé. La fenêtre d'opportunité pour lancer cette lactation est limitée, en moyenne quinze à vingt jours.

Deuxième condition : l'éjection du lait par l'ocytocine

L'ocytocine est une neurohormone produite par la posthypophyse. Le terme de neurohormone signifie qu'elle est intimement liée au fonctionnement neurologique de notre cerveau. Cette hormone sera donc très contrôlée par le cerveau, qui la fabrique et la stocke dans l'hypophyse ; mais le cerveau peut aussi stopper net sa libération sous l'influence de plusieurs facteurs, comme la douleur, le stress, les émotions négatives et un cerveau cortical très dominateur.

Pour que le lait jaillisse, il ne faut donc pas avoir mal ; si le mamelon est pincé par le bébé, c'en est fini de la lactation, l'ocytocine ne pouvant être libérée, le lait non évacué ne sera donc plus fabriqué. Les mères stressées, qui vivent des événements très négatifs affectivement, auront de grandes difficultés dans leur lactation : « Ça m'a coupé le lait », disent celles qui rencontrent des difficultés. Celles qui veulent tout contrôler, dans une volonté farouche de maîtrise et de domination de leur corps, auront bien des difficultés à faire jaillir leur lait. Il faut du « lâcher-prise », pas toujours si simple dans notre société très corticalisée.

Cette hormone a bien d'autres avantages : c'est celle du bien-être, du plaisir, antidouleur, antistress, qui favorise le relâchement et l'endormissement en fin de tétée, et permet un meilleur sommeil. C'est également l'hormone de l'attachement, aidant la mère à vivre chaque heure de cette maternité. Elle n'est d'ailleurs pas exclusivement produite lors de l'allaitement ; un bon dîner avec des amis ou dans l'intimité, les rapports sexuels produisent cette hormone en quantité... qui favorise l'attachement. C'est assez bien fait !

Troisième condition : un bébé qui tète le sein

Nous avons vu l'importance d'une bonne prise en bouche du sein par le bébé pour stimuler efficacement la production de prolactine et la fabrication des récepteurs. L'efficacité de la tétée permet aussi, avec l'aide de l'ocytocine, une bonne évacuation du lait afin de vider les alvéoles. Or, mieux elles sont vidées, mieux elles vont pouvoir se remplir. En effet, la fabrication du lait se fait à vitesse variable ; plus le sein est rempli, moins le lait est fabriqué. Si le sein a été bien vidé par le bébé, avec des tétées fréquentes et efficaces, il se remplira d'autant plus vite. C'est ce qu'on appelle un « feed-back », qui existe dans la plupart de nos productions hormonales ; il est également présent dans nos fonctionnements humains, les thermostats, les usines de voiture, par exemple : si les commandes sont importantes, on augmente la production dans les usines. Si le sein ne se vide pas, il arrive à une limite où la fabrication s'arrête.

C'est le principe du sevrage ou du non-allaitement ; après une montée laiteuse obligatoire et hormonodépendante à la suite de l'accouchement, la lactation se tarira si aucun bébé ne tète, s'il n'y a pas d'évacuation du lait. La lactation obéit à la loi de l'offre et de la demande, avec une grande variabilité d'une mère à l'autre, d'un bébé à l'autre, dans la pratique de l'allaitement. Si le bébé est dans l'incapacité de téter, comme cela peut se produire s'il est très prématuré ou malade, il faudra alors imiter la succion du bébé. Nous avons deux moyens possibles : soit l'expression manuelle, soit le tire-lait. L'expression manuelle est très efficace, les doigts appuyant à la limite externe de l'aréole et faisant gicler le lait ; c'est le principe de la traite des vaches. Il existe aussi le tire-lait, très utile pour les mamans séparées de leur bébé et qui souhaitent allaiter. L'association de l'expression manuelle et du tire-lait double la production de lait et facilite donc le lancement et l'entretien de la lactation chez les mères dont le bébé ne peut téter directement le sein.

Nous voyons que c'est la succion du sein et les tétées efficaces et fréquentes qui conditionnent la production de lait et que chaque bébé formera avec chaque mère un duo spécifique où chacun s'adaptera à l'autre dans une alchimie très subtile. Aussi les mères à l'écoute de leur bébé, sensibles à leurs signaux, et qui n'établissent pas de règles strictes de nombre, d'horaire ou de rythme des tétées, mais s'adaptent au mieux à la demande, seront-elles les plus aptes à mettre en route leur lactation et à la poursuivre en s'accordant aux besoins du nourrisson au fur et à mesure de sa croissance. Elles vivent ainsi leur allaitement de la façon la plus sereine.

··

Les vraies raisons du manque de lait

- Bébé est mal placé sur le sein, il tétouille, pince le mamelon avec ses lèvres au lieu de prendre en bouche une grande partie de l'aréole, ce qui déclenche une crevasse très douloureuse pour sa maman.

- Bébé tète peu souvent, reçoit des compléments, suce souvent une tétine.

- Maman est inquiète, tendue, traverse des événements qui perturbent sa maternité.

- Ce n'est pas en buvant beaucoup (juste suffisamment), en mangeant des lentilles et en buvant des tisanes que la production augmente significativement. Mais tout ce qui fait plaisir à la mère et la rend plus «zen» l'aidera.

- Il faut surtout des tétées fréquentes et efficaces… et du soutien!

··

PASSONS MAINTENANT À LA PRATIQUE

Pour une bonne mise en route de l'allaitement

Pour un allaitement réussi, deux précautions sont nécessaires:

- une maman bien installée et détendue;
- un bébé bien placé pour une succion efficace.

C'est un apprentissage pour vous deux, maman et bébé, qui va demander plusieurs jours avant d'être pleinement réalisé.

Soyez patiente!

Quelques conseils pour les premiers jours

- **Proposer une première tétée précoce, durant les deux premières heures de vie**, est un bon moment pour faire connaissance et permettre au nouveau-né de découvrir le sein : bébé est alors très éveillé, il cherche, retrouve votre odeur ; ses sens sont « à vif » et ses réflexes optimaux pour trouver le sein et le téter. Il est inondé par les hormones de l'accouchement. Cette première bonne expérience sera mémorisée et en appellera d'autres. S'il ne tète pas efficacement, mais si c'est un grand moment de plaisir pour vous et votre bébé, c'est l'essentiel. Chacun voudra recommencer. Le peau à peau favorise ce confort et ce bien-être. Laissons faire bébé, il a tout ce qu'il faut pour réussir. Laissons-lui aussi du temps.

- **Ensuite, les tétées à la demande, lorsque bébé est éveillé, sans attendre qu'il pleure.** C'est lors des moments d'éveil qu'il est le plus compétent pour bien téter. S'il pleure, il s'agite et tétera moins bien ; respectons son rythme et répondons à sa demande, à ses éveils.

  Mettez votre bébé au sein dès qu'il est éveillé. C'est en tétant qu'il fabrique le lait.

  – Si bébé est bien placé, peu importe la durée.

  – Si bébé est en bonne santé, à terme, peu importe l'espacement.

  Les tétées sont souvent irrégulières : plus rares le matin, plus nombreuses et rapprochées le soir.

  S'il dort, respectons son sommeil, sans le réveiller, sauf s'il présente un risque médical particulier (petit poids, accouchement difficile, diabète maternel…).

  Durant les vingt-quatre premières heures, bébé dort beaucoup. Ensuite, **8 à 10 tétées par vingt-quatre heures sont souhaitables et habituelles**.

- **N'hésitez pas à proposer les deux seins** successivement à chaque tétée pour une bonne stimulation et un bon démarrage. Après la montée laiteuse (jour 3-jour 4), ce ne sera peut-être plus nécessaire, mais il est alors conseillé de laisser bébé bien vider un sein à chaque tétée.

Comment assurer au mieux
une tétée efficace

Installez-vous confortablement

Le dos et le bras qui soutient votre enfant sont bien calés.
Vos pieds sont surélevés si vous êtes dans un fauteuil. De
nombreuses positions sont possibles, assises ou allongées.
Des coussins pour vous caler peuvent améliorer votre confort.

Bien installer votre bébé

- Le corps de votre bébé est bien allongé et détendu
  (alignement oreille-épaule-hanche), ventre contre ventre,
  bien collé contre vous.
- Sa tête est libre, en légère extension (comme lorsque vous
  buvez, vous rejetez la tête en arrière). Cela permet à bébé
  de bien ouvrir la bouche.

NON   OUI

*NON : bébé qui tétouille : les lèvres sont pincées, la bouche peu ouverte,
il prend seulement le mamelon en bouche et peu l'aréole.*

*OUI : bébé qui tète efficacement : les lèvres sont éversées, la bouche est grande
ouverte, il a une grande partie de l'aréole dans la bouche ;
il en a «plein la bouche», le menton collé au sein.*

- Laissez-le bien ouvrir la bouche et saisir une grande partie de l'aréole (partie colorée), sans pincer le mamelon, car c'est cela qui est très douloureux! (Voir schéma.)
  - La bouche est grande ouverte.
  - La lèvre inférieure est éversée.
  - Le menton est enfoui dans le sein.
  - Bébé en a «plein la bouche».
- Vous verrez alors les mouvements de succion/déglutition lents et réguliers au niveau de la mâchoire, des oreilles et du cou. Vous l'entendrez même parfois avaler le lait.

La montée laiteuse

La montée laiteuse apparaît en moyenne au troisième ou quatrième jour. Vous sentez alors vos seins plus tendus, plus gonflés, mais la tétée vous soulagera. En attendant, votre bébé tète le colostrum, parfaitement adapté à ses besoins. La quantité est petite, mais la qualité immense. Il n'a pas besoin d'autres apports. Alimentez-vous normalement et buvez à votre soif, sans restriction (sauf alcool) ni obligation supplémentaire.

Pour que votre lactation s'établisse

Outre les tétées précoces, à l'éveil et les plus fréquentes possible, comme nous l'avons vu, pour les premiers jours, voici quelques conseils pour que votre lactation s'installe.

**Pour que votre lactation
s'établisse durablement**

- *Évitez les compléments.* Votre bébé n'en a pas besoin, sauf
situation médicale particulière. Votre colostrum et votre lait sont
ce qu'il y a de meilleur pour lui. Les compléments perturbent le
rythme du bébé et modifient la demande des tétées. Vous risquez
alors de produire moins de lait ou un engorgement.

- *Évitez les tétines tant que l'allaitement n'est pas bien mis en route.*
Bébé risque de moins bien téter et stimulera moins la montée
laiteuse. S'il pleure ou s'agite, prenez-le dans vos bras, contre
vous : votre odeur, votre voix, vos caresses lui apporteront confort
et sécurité ; c'est surtout de cela qu'il a besoin. S'il souhaite téter,
profitez-en pour lui proposer le sein, mais il cherche surtout
à retrouver des repères sensoriels : l'odeur, la voix, le contact
de maman ou papa.

- *C'est pour cette raison qu'il sera au mieux dans votre chambre la
nuit et près de vous vingt-quatre heures sur vingt-quatre et en
peau à peau.* Vous ferez ainsi vraiment connaissance et répondrez
à ses besoins.

- *La perte de poids des premiers jours est normale*, due surtout
à une perte d'eau. Le meilleur moyen de la limiter est de
maintenir une bonne température par le peau à peau ou en
couvrant bien votre bébé, sans oublier le bonnet et en évitant les
courants d'air. Généralement, le poids remonte au quatrième jour
et bébé retrouvera son poids de naissance avant le dixième jour.

De retour à la maison, comment
vous assurer que l'allaitement va bien
Les tétées sont fréquentes

Elles sont au nombre de huit par vingt-quatre heures
en moyenne, bébé s'éveille spontanément. Vous n'avez pas
besoin de le stimuler. Les tétées peuvent rester irrégulières,

avec des intervalles variables. Bébé réclame plus le soir et une à deux tétées la nuit.

Les tétées sont efficaces

Bébé est bien positionné, il déglutit régulièrement lors de la tétée, les seins sont souples après la tétée et *non douloureux.*

L'état du bébé vous renseigne aussi

Vous devez constater :
- 4 à 6 couches mouillées d'urine par vingt-quatre heures.
- 4 à 5 selles jaune d'or grumeleuses par vingt-quatre heures.
- Il s'éveille spontanément, réclame le sein.
- Il est tonique.
- Sa courbe de poids est croissante.

S'il dort beaucoup, réclame très peu, n'a pas de selles chaque jour (le premier mois), urine peu, vous devez faire peser rapidement votre bébé et consulter un médecin ou une sage-femme.

Petites difficultés passagères
Les douleurs

Les douleurs sont fréquentes et physiologiques les premiers jours en raison des variations hormonales rendant les seins hypersensibles. Le massage aréolaire, montré lors de votre séjour en maternité ou par votre sage-femme au retour à la maison, vous soulagera. Ces douleurs doivent cesser quelques jours après l'accouchement.

Les crevasses

Les crevasses sont évitées le plus souvent par une bonne position du bébé; vérifiez bien qu'il en a «plein la bouche». Il est inutile de nettoyer vos seins avant chaque tétée; se laver les mains est beaucoup plus utile. Une douche par jour est suffisante.

Si vos mamelons deviennent sensibles, le massage de l'aréole vous soulagera et permettra de déposer quelques gouttes de colostrum ou de lait sur le mamelon : cela adoucit, cicatrise, hydrate et désinfecte. Les pommades le feront aussi, mais moins bien! Les protège-mamelons (appelés aussi «bouts de sein») sont parfois une aide à condition qu'ils soient bien placés, de taille adaptée et bien «pris en bouche» par le bébé. Mais ils risquent de diminuer votre lactation, en supprimant notamment les repères olfactifs si précieux.

L'engorgement

L'engorgement sera le plus souvent évité par des tétées précoces, fréquentes, efficaces, à l'éveil du bébé, en l'absence de compléments et de tétines. Le massage aréolaire peut aider à faire jaillir le lait. Sinon, le recours ponctuel au tire-lait peut être utile. Enfin, l'application de froid ou de chaud peut soulager.

Lors de votre séjour en maternité, n'hésitez pas à demander au personnel soignant de vous aider. Lors de votre retour à la maison, vous pouvez faire appel à une sage-femme qui viendra à votre domicile (prise en charge par la Sécurité sociale). La Protection maternelle et infantile (PMI) est là aussi pour vous accompagner. Mais surtout, faites-vous confiance! C'est vous qui sentez le mieux ce qui apportera à votre bébé confort et sécurité. Et rassurez-vous, ce n'est pas lui donner de mauvaises habitudes que de le prendre dans les bras ou lui donner souvent le sein. Il en a besoin : nous conseillons de consulter dans les huit à dix jours qui suivent la sortie et de repeser votre bébé durant ce délai. Vous pouvez vous adresser à la PMI, à votre médecin traitant, votre pédiatre, une sage-femme, une consultante en lactation ou une association de soutien à l'allaitement, comme le réseau Solidarilait ou la Leche League France[3].

CHAPITRE
11

La croissance de bébé

« *Augmentation des dimensions de l'ensemble d'un corps organisé ou de l'une ou l'autre de ses parties; période pendant laquelle se fait cette augmentation de taille: Enfant en pleine croissance.* »

DÉFINITION DU *LAROUSSE*

Nous nous intéresserons dans ce chapitre à la croissance pondérale des six premiers mois du nourrisson.

La croissance d'un enfant est importante, tout particulièrement en période néonatale, car elle est non seulement le reflet principal de sa bonne santé et de son développement initial, mais aussi le témoin d'un bon démarrage de l'allaitement maternel lorsque le bébé est au sein. C'est pourquoi parents et personnels médicaux sont attachés à sa surveillance.

POURQUOI LE NOUVEAU-NÉ PERD-IL DU POIDS LES JOURS SUIVANT SA NAISSANCE ?

La période néonatale est caractérisée par une perte de poids initiale. Chacun sait que les bébés perdent du poids en maternité durant les premiers jours de vie, avant de reprendre leur poids de naissance et de grossir ensuite tout au long de leur enfance. Pourquoi cette perte de poids initiale ? Nous l'avons vu lors de l'analyse des adaptations néonatales, le passage de la vie fœtale, dans un milieu liquide, à la vie aérienne comporte obligatoirement une perte importante d'eau. Cette perte hydrique est actuellement accrue par la pratique de la péridurale : plusieurs études ont montré que les apports liquidiens en perfusion pendant le travail augmentent les pertes urinaires du nouveau-né au cours des vingt-quatre premières heures[1].

Il est important d'en tenir compte et de ne pas considérer qu'il s'agit d'un manque d'apport, donc de lait insuffisant, mais bien d'une exagération des pertes d'eau liée à un remplissage important lors de l'accouchement, engendrant une surcharge hydrique du bébé. Avant l'ère de la péridurale, nous attendions souvent plus de vingt-quatre heures avant de voir les premières urines et, l'échographie prénatale montrant l'intégrité du système rénal n'existant pas, nous étions soulagés de l'émission, enfin, de ces premières urines, témoin d'un bon fonctionnement rénal. Maintenant, nos chers petits nouveau-nés nous font pipi dessus dès la naissance, souvent sur le ventre de leur mère dès la première heure. Le deuxième jour, les pertes urinaires sont minimes.

Nous avons vu, dans le chapitre consacré aux adaptations néonatales, que les pertes hydriques physiologiques sont essentiellement respiratoires et cutanées, accrues si le bébé est nu, agité, baigné, hyperstimulé, s'il pleure beaucoup, s'il ressent de la douleur. Ces pertes hydriques s'associent à des pertes caloriques et métaboliques obligatoires, alors que les apports seront toujours insuffisants pour compenser ces pertes durant les premiers jours de vie.

Plutôt que de vouloir augmenter les apports de lait dans un tube digestif qui n'est pas encore prêt à les assimiler, il est plus judicieux de jouer sur la diminution des dépenses en limitant les pertes hydriques, caloriques et métaboliques par des soins adaptés, économisant ainsi les pertes énergétiques : éviter les pleurs, le refroidissement, la douleur, les stimulations inutiles, les bains, qui engendrent tous ces facteurs. Le respect du rythme éveil/sommeil, le peau à peau et la proximité maternelle, une bonne température ambiante, le colostrum et les tétées fréquentes, efficaces et au moment de l'éveil du bébé, seront les meilleurs atouts pour une limitation de la perte de poids. Ces tétées fréquentes et efficaces ont deux buts essentiels : lancer la lactation maternelle et, pour l'enfant, apprendre à coordonner succion, déglutition et respiration ; en troisième lieu, ces tétées apporteront quelques éléments nutritifs intéressants contenus dans le colostrum.

Face à cette phase de « carence » obligatoire, à ce bilan négatif, le bébé va piocher dans ses réserves les éléments indispensables à sa survie, jusqu'à la montée laiteuse, où l'arrivée d'un flot de lait pourra alors le nourrir efficacement et couvrir ses besoins. Il s'y sera alors bien préparé durant cette période colostrale de trois à cinq jours. C'est donc seulement à partir de cette date qu'il peut réamorcer une courbe pondérale ascendante. La remontée du poids dès le cinquième ou sixième jour sera donc un bon critère pour évaluer un bon démarrage de l'allaitement, en l'absence de la mesure des quantités de lait absorbées que souhaiteraient les parents. Mais la reprise pondérale, bien que très intéressante, n'est pas le seul indice objectif pour apprécier un bon démarrage de la lactation.

COMMENT S'ASSURER QUE L'ALLAITEMENT FONCTIONNE BIEN ?

Il est intéressant de s'appuyer sur trois critères : l'état de la maman, l'état du bébé et l'observation de la tétée.

Chez vous, maman

Chez vous, maman, il est important de considérer *votre état général* : le vécu de votre accouchement, votre ressenti vis-à-vis de votre bébé, votre séjour à la maternité, vos seins. Un discours négatif sur tout cela fait craindre un mauvais démarrage de la lactation. L'apparition de la douleur au niveau des seins est également un clignotant négatif. Les seins peuvent être douloureux physiologiquement chez de nombreuses mères durant les premiers jours après l'accouchement, qu'elles allaitent ou non, en raison du chamboulement hormonal. Si cette douleur persiste au-delà de la première semaine, il faut alors regarder les seins de près et rechercher une complication – engorgement ou crevasse le plus souvent.

Ensuite, il faut se poser deux questions :

- **Y a-t-il eu montée laiteuse** sous l'influence de la prolactine ? Cela se traduit par une augmentation importante du volume des seins, variable d'une femme à l'autre dans son délai de survenue, son intensité et son ressenti.

- **Le lait coule-t-il ?** Pas de problème si la chemise de nuit est inondée le matin au réveil. Sinon, il faut s'enquérir des signes d'une bonne éjection liée à l'ocytocine : avez-vous ressenti des contractions utérines rappelant l'accouchement lors des tétées durant les deux jours suivant la naissance, symptôme intense lorsqu'on a accouché plusieurs fois, que le langage populaire appelle les « tranchées », bien nommées pour qui l'a ressenti. Les signes de flux liés à l'ocytocine sont aussi ressentis lors des tétées, sensation de chaleur, de fourmillement ou de picotement dans les seins ; le lait coule d'un sein quand le bébé tète l'autre. Dans le doute, l'expression mammaire, montrée par une soignante lors du séjour en maternité, permet de visualiser l'éjection du lait. Sous l'effet de l'ocytocine, à la fin de la tétée, vous pouvez émettre des gaz et avoir envie d'uriner (contraction des muscles de l'intestin et de la vessie), vous avez soif et sentez un bien-être et un état de somnolence vous envahir, auquel il est bon de céder pour récupérer des forces.

Chez le bébé

Il est important d'apprécier les signes d'un bébé bien nourri, en bonne santé.

Les selles

Les selles en sont un fidèle reflet : après avoir émis du méconium le premier jour, ces selles noirâtres et collantes si difficiles à nettoyer, le bébé a ensuite des selles plus liquides et d'un vert plus clair, puis, s'il est bien nourri avec le lait maternel, des selles liquides, grumeleuses, jaune d'or, après chaque tétée. Ces selles traduisent une parfaite absorption du lait maternel, les grumeaux témoignant d'une bonne ingestion des graisses contenues dans le lait. Le transit du nouveau-né est très rapide, ainsi l'émission de selles grumeleuses après chaque tétée est le meilleur témoin d'une bonne lactation durant les premières semaines de l'allaitement.

Ensuite, il est possible que le nourrisson n'émette pas de selles pendant plusieurs jours, sans qu'il faille s'en inquiéter. Mais cela survient en général après un mois, quand le bébé a bien mis en place la loi de l'offre et de la demande, et qu'il prend donc la quantité de lait nécessaire et suffisante pour sa croissance, sans surplus qui laisserait des déchets ; il faut par ailleurs un tube digestif suffisamment mature pour digérer parfaitement et à 100 % le lait ingéré. Dominique Turck, gastro-entérologue pédiatrique, a même décrit des bébés pouvant rester jusqu'à trois semaines sans selles. Je n'ai jamais vu un tel délai dans ma pratique, mais plusieurs jours, jusqu'à dix à quinze jours, sans selles n'est pas exceptionnel. Nous avons souvent ce cas aux urgences pédiatriques. Il faut, bien sûr, vérifier le parfait état clinique de ce bébé, s'assurer qu'il est nourri exclusivement au lait maternel, et on peut alors rassurer les parents et l'entourage. Il n'est donc pas nécessaire de proposer des remèdes, tels que les supposi-toires à la glycérine ou Microlax, l'eau Hépar, l'introduction de légumes, de jus d'orange, voire l'arrêt de l'allaitement, comme on peut le constater souvent.

L'existence de selles vert clair, très liquides, entraînant parfois des douleurs et des lésions du siège, selles d'odeur très aigrelette et acides, traduit une surcharge en lactose chez des bébés allaités par des mères qui ont souvent une grosse production de lait. Des conseils ajustés à chaque situation permettront d'y remédier.

Les urines

Les urines sont un reflet de la bonne hydratation d'un bébé, mais c'est un signe tardif ; les deuxième et troisième jours de vie, il urine peu. Ensuite, il doit uriner six à sept fois par vingt-quatre heures. Si la couche reste sèche, il faut consulter rapidement.

Les éveils du bébé

Les éveils du bébé sont un signe de bonne santé ; s'il réclame, s'il pleure le soir, s'il se réveille la nuit, ce sont des critères de vitalité. Vous devez être inquiète, en revanche, si votre bébé dort durant de longues périodes supérieures à huit heures, s'il fait ses nuits dès le retour à la maison ou dès les premières semaines de vie. Il se met alors en économie d'énergie pour survivre à une dénutrition et à une déshydratation progressive. Cela s'associe en général à des selles absentes ou rares, peu d'urine, un bébé hypotonique, un ictère persistant ou s'aggravant (la jaunisse). Il faut rapidement consulter devant ces signes patents de non-démarrage de la lactation. La pesée montre dans ce cas une perte de poids importante et des signes évidents de déshydratation. Méfions-nous des bébés trop sages…

L'observation de la tétée

L'observation de la tétée est le troisième élément permettant d'apprécier le bon démarrage de l'allaitement.

Une bonne installation

Il est important de vous installer confortablement : ce doit être un bon moment, vous êtes bien placée dans un fauteuil, un canapé, un lit ; le dos est bien calé, les bras appuyés sur des coussins pour ne pas supporter le poids du bébé. Papa veillera à cette bonne installation, « comme une reine » ! Le bébé doit être bien positionné pour ouvrir grand la bouche et prendre le mieux possible une grande partie de l'aréole dans sa bouche. Le corps est collé contre votre ventre, ventre contre ventre, la tête est libre, en légère extension, comme lorsque nous buvons. Le bébé prend le sein « par en bas », le menton collé contre le sein, le mamelon pointant vers le nez du bébé.

De multiples positions possibles

Vous avez un grand choix de positions lors de la tétée. La plus pratiquée chez nous, calquée sur la position au biberon si bien connue et nommée la « madone », présente des inconvénients : le corps du bébé est alors souvent perpendiculaire au corps maternel, comme pour un biberon, la tête est alors tournée vers le sein et en flexion. Prenez cette posture et essayez d'ouvrir la bouche et d'avaler ! Vous verrez que c'est impossible. De plus, cette position comprime souvent la tête avec le bras maternel, surtout si maman s'applique beaucoup et est très tendue ; il vaut mieux alors adopter la position de la « madone inversée », le bras qui entoure la tête étant lâché et l'autre bras soutenant le dos du bébé ; le bras libéré permet de bien présenter le sein dans la bouche de bébé, sans mettre les doigts sur l'aréole cependant. Prenez un poupon et essayez, c'est facile ! D'autres positions peuvent encore être proposées : le ballon de rugby, bébé tenu sous les aisselles, pas très élégant mais souvent pratique ; la position « transat », comme en salle de naissance, où le bébé est simplement posé sur le ventre maternel, puis on le laisse faire et crapahuter à sa guise ; c'est une des postures qui semblent le mieux résoudre les difficultés. Le bébé utilise alors toutes ses compétences sensorielles et neurologiques pour chercher le sein et le trouver lui-même, plus facilement que si l'on fait du forcing en essayant de le lui enfourner dans la bouche. Ces diverses positions pourront vous être montrées lors de votre séjour en maternité par des soignantes bien formées à l'accompagnement de l'allaitement maternel.

Observer une tétée efficace : bébé a-t-il bu du lait ?

L'observation de la bonne position, de la succion et de la déglutition du bébé permet d'apprécier l'efficacité de la tétée et de savoir s'il a bien absorbé le lait. La durée de la tétée est très variable d'un nourrisson à l'autre et n'est pas un élément déterminant sur la quantité absorbée. Mais si les tétées sont très brèves dès les premiers jours, de l'ordre de quelques minutes, ou si elles sont très longues, interminables comme disent les mamans, avec un bébé qui s'agite ou s'endort très rapidement sur le sein, c'est qu'elles sont inefficaces. Si les tétées sont sensibles, s'il y a une crevasse, c'est aussi un signe de mauvaise efficacité, le plus souvent liée à un positionnement inadéquat du bébé. Il suffit souvent de peu de choses, un changement de position, quelques conseils avisés, pour que cet allaitement devienne efficace et soit un plaisir, alors qu'il s'engageait dans une lutte difficile et douloureuse.

Un accompagnement rapproché les quinze premiers jours

Il est très utile, voire indispensable, de consulter rapidement après le retour au domicile, d'autant que les sorties de maternité sont précoces[2]. Il est bon de repeser le bébé avant le huitième ou dixième jour, pour s'assurer d'une reprise pondérale, en se référant au poids de naissance et surtout au poids le plus bas. La non-reprise du poids de naissance au cours des dix premiers jours est un clignotant qui doit déclencher un accompagnement étroit. À partir du poids le plus faible, le bébé allaité doit ensuite prendre 30 à 40 grammes par jour, soit 200 à 250 grammes par semaine. Ne nous contentons plus des 25 grammes par jour établis autrefois, ou des prises de poids médiocres qui témoignaient d'un allaitement insuffisant. Ce n'est pas le lait de la mère qui est de mauvaise qualité, mais l'allaitement qui n'a pas été lancé efficacement, en raison de tétées insuffisantes en nombre ou en efficacité. Il est bon de consulter une personne bien formée à l'allaitement, sage-femme, consultante en lactation ou membre d'une association de soutien à l'allaitement. Enfin, il est nécessaire de compléter cette consultation par un examen médical mensuel, en PMI ou chez un médecin, permettant de vérifier le bon développement global du bébé.

LA COURBE DE POIDS

La courbe de référence : la courbe de l'OMS

La courbe de poids devrait désormais être établie à partir de la référence de l'OMS et non de la courbe du carnet de santé. Les courbes du carnet de santé (courbes de Sempé 1979 revues en 1995) se fondent sur un échantillon des années 1950 composé d'enfants nourris de façon imprécise, sein ou biberon, dans des conditions sanitaires indéterminées.

L'OMS a fait depuis un travail considérable, publié en 2006, permettant d'établir de nouveaux standards de croissance pour le nourrisson et l'enfant de moins de 5 ans[3]. Les enfants étudiés (6 669 enfants) vivaient dans six pays du monde : le Brésil, les États-Unis, le Ghana, l'Inde, la Norvège, Oman. Ces bébés en bonne santé, allaités pendant quatre mois au moins, bénéficiaient de bonnes conditions sanitaires, avec des mères non fumeuses. Cette étude montre que les enfants qui sont dans un environnement favorable et sont nourris suivant les recommandations de l'OMS ont, jusqu'à l'âge de 5 ans, une croissance en poids et en taille étonnamment identique à travers le monde, malgré la diversité ethnique des populations. Cette étude a permis d'établir des standards de croissance valables pour tous les bébés puisqu'ils se réfèrent à la norme biologique de l'allaitement maternel.

Ces courbes ont montré des différences notables par rapport à celles du carnet de santé[4] : une nette différence entre filles et garçons, une prise de poids plus importante durant les trois premiers mois de vie, et un ralentissement ensuite lors du deuxième trimestre. La courbe des six premiers mois permet une lecture beaucoup plus précise de la prise de poids des bébés. C'est celle que je vous propose d'utiliser (voir schéma). De nombreux pays se réfèrent d'ailleurs désormais à ces courbes de l'OMS pour le suivi des enfants.

Comment utiliser la courbe

Il est important de dresser la courbe de croissance d'un enfant par rapport à cette courbe. S'il suit son couloir, il n'y a pas de problème. Il est très rare, nourri au sein, qu'il change de couloir vers le haut, la suralimentation au sein étant exceptionnelle. S'il casse la courbe vers le bas, en s'éloignant brutalement ou progressivement du couloir, il faut consulter.

Il peut alors s'agir le plus souvent d'une insuffisance de lait par mauvais démarrage de la lactation. Il est important de relancer celle-ci le plus rapidement possible, tant que la situation est réversible. La fourchette de « lancement » de la lactation est limitée, variable d'une femme à l'autre cependant. De plus, un « retard de croissance extra-utérin » est préjudiciable au développement cérébral de ce bébé : une croissance rapide en période postnatale est un impératif de santé pour l'enfant et pour son avenir global, en particulier neurologique. L'aide d'une consultante en lactation pourra se révéler utile. Les conseils seront d'augmenter la fréquence des tétées, favoriser les éveils du bébé par une plus grande proximité, le portage par exemple, améliorer l'efficacité des tétées en modifiant la position au sein, plus confortable et non douloureuse ; proposer les expressions manuelles du sein et l'utilisation d'un tire-lait si besoin. Il pourra être nécessaire, pour la santé du bébé, de compléter l'allaitement, du moins provisoirement, en attendant la relance de la lactation.

Courbe de poids pour l'âge des FILLES

De la naissance à 6 mois (normes OMS)

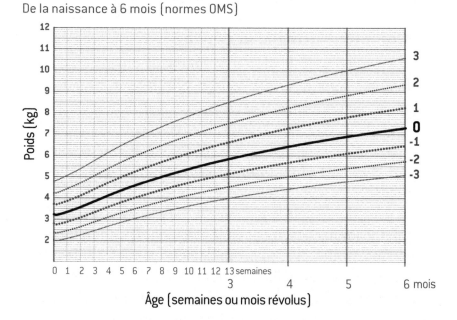

Courbe de poids pour l'âge des GARÇONS

De la naissance à 6 mois (normes OMS)

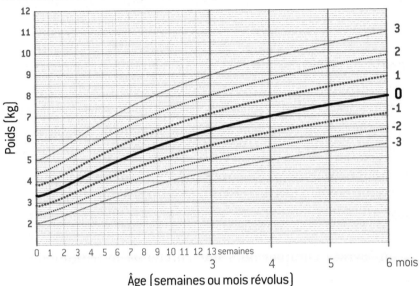

En fonction de l'âge de votre bébé, en semaines puis en mois, repéré sur la ligne horizontale, et son poids, repéré sur la ligne verticale, vous notez des points correspondant aux chiffres de votre bébé. En les reliant, vous obtenez une courbe. Cette courbe peut correspondre à la courbe moyenne centrale notée 0 sur la verticale de droite. Cette courbe correspond à la majorité de l'ensemble d'une population étudiée.

Une partie de la population peut s'écarter de cette moyenne de façon plus ou moins importante, correspondant alors aux courbes +1, +2, +3 notées sur la colonne verticale de droite, ou –1, –2, –3, si l'enfant se situe en dessous de la moyenne générale. Tant que l'enfant reste entre –2 et +2 «déviations standard», il n'y a pas d'inquiétude: nous ne sommes pas tous identiques, il existe des bébés plus gros et des bébés plus maigres physiologiquement.

Vous devez vous poser des questions si votre enfant se situe au-delà de la courbe –2 ou +2. Vous devez aussi vous poser des questions si votre enfant change de couloir sur la courbe, lentement ou brusquement. S'il monte en croisant les courbes de référence, ou s'il descend de plus en plus, il vous faut consulter. Il s'écarte des normes alors qu'il y était antérieurement, il faut en chercher la cause.

Plus rarement, cette insuffisance de prise pondérale révélera une pathologie du bébé, qui peut s'accompagner d'une insuffisance de lactation ou l'engendrer. En aucun cas il ne peut s'agir d'une mauvaise qualité du lait maternel.

Si l'on rapportait la croissance d'un bébé allaité sur la courbe du carnet de santé, des erreurs d'interprétation seraient alors possibles : s'il suit le couloir du carnet de santé ou s'en éloigne discrètement vers le bas, ce bébé est en sous-nutrition alors que l'observateur non averti s'en contentera. S'il dépasse nettement cette courbe, l'interprétation sera une surcharge pondérale alors que ce bébé correspond au standard souhaité avec une bonne nutrition. Plus tard, lorsqu'il ralentit physiologiquement sa croissance, ce ralentissement sera interprété à tort comme un retard de croissance, et pourrait conduire à un sevrage complet ou à une surcharge nutritionnelle, souvent observée chez les bébés nourris au biberon.

Il est donc conseillé de suivre la croissance des nourrissons sur ces courbes de l'OMS plutôt que sur celles du carnet de santé, en particulier lors de l'allaitement maternel. Beaucoup de PMI et de médecins le font déjà[5].

CHAPITRE
12

Le prématuré

ou comment poursuivre la grossesse à ciel ouvert

«Mère indigne!
Incapable d'avoir mis au monde un enfant normal.
Indigne de prendre de ses nouvelles.
Indigne de tout, indigne de savoir.
Je sombre peu à peu dans une dépression
dont je ne sortirai que quand le bébé, lui,
sortira de réanimation. Une seule chose
m'aurait fait du bien: le voir. »

BERNARD GOLSE

L a prématurité est, pour un couple et pour une mère, un véritable séisme. Ce bébé a été désiré, attendu, rêvé, préparé dans le corps de sa mère pendant plusieurs mois, et voilà qu'il surgit trop tôt, alors que rien n'est prêt pour l'accueillir. Il est expulsé, souvent brutalement, hors du corps maternel, dans un effondrement viscéral et psychique, vrai tsunami corporel et mental. Si les parents ne sont pas prêts à son arrivée dans ce monde, le bébé non plus. Parents et enfant vont alors devoir fournir un travail considérable pour surmonter cette difficile épreuve. Une équipe soignante est là pour les aider et leur donner tous les moyens pour traverser cette période en s'appuyant sur les ressources incroyables dont chacun dispose : ce tout-petit, pesant parfois moins de 1 000 grammes, va montrer des compétences inattendues et inouïes pour franchir les obstacles posés sur le chemin de cette nouvelle vie ; et les parents, s'ils sont bien soutenus, vont eux aussi faire surgir des forces insoupçonnées au départ de cette aventure non choisie.

LE PARCOURS DU BÉBÉ PRÉMATURÉ

Sa respiration

Pour le bébé, dès les premiers instants parfois, une vraie lutte pour la vie démarre ; dans notre jargon médical, nous appelons cela les « signes de lutte respiratoire ». Ses poumons manquent d'une substance tensioactive appelée surfactant qui permet de garder les alvéoles pulmonaires ouvertes (comme si vous ne pouviez fermer le ballon de baudruche des enfants et qu'il faille le regonfler en permanence à chaque inspiration). Heureusement, j'ai vu apparaître dans ma vie pratique de pédiatre un médicament miraculeux : le surfactant artificiel, qui pallie très efficacement cette difficulté d'adaptation respiratoire. Des appareils de plus en plus perfectionnés améliorent aussi la respiration des prématurés.

Son alimentation

Son alimentation va se mettre en place plus lentement et plus délicatement que celle d'un bébé à terme. La plus appropriée et la mieux tolérée sera le lait de sa maman, encore plus précieux pour lui que s'il était à terme. En attendant qu'il le digère suffisamment, il faudra souvent lui apporter sa ration de survie dans une perfusion veineuse, directement assimilée par lui. Mais très tôt et chez des bébés en apparence immatures, nous constatons quelquefois avec surprise qu'ils peuvent téter et se nourrir efficacement du lait maternel ; certains bébés de 32 semaines, pesant 1 500 grammes environ, peuvent avoir des tétées nutritives efficaces et nous étonnent par leur performance.

Ses défenses immunitaires

Pour lutter contre l'apparition d'une infection, les défenses immunitaires du bébé prématuré étant incomplètes, d'importantes précautions d'asepsie sont prises. Deux grands moyens de renforcement de ses défenses sont essentiels pour lui : l'apport du colostrum et du lait maternel, surtout s'il est donné directement sans congélation préalable, et le peau à peau avec sa mère et son père.

Le colostrum et le lait maternel vont coloniser le tube digestif d'une manière optimale et les germes développés à partir du milieu acide du lait maternel sont le point de départ de son système immunoallergique ultérieur, permettant l'instauration du meilleur « écosystème » pour ce bébé.

Le peau à peau permet aussi la colonisation cutanée avec les germes familiaux, qui sont de « bons germes », contrairement aux germes plus « méchants » présents dans les services de réanimation.

Ainsi, plus le bébé passe d'heures en peau à peau avec ses parents, plus il reçoit de lait maternel, mieux il renforce ses défenses immunitaires. C'est dire toute l'importance de la présence des parents auprès de leur bébé le plus tôt et le plus souvent et longtemps possible. Nous allons voir tous les autres avantages de cette présence et de ce lait maternel.

Ses compétences neurologiques

Les compétences neurologiques du bébé sont également affectées par la prématurité[1]. L'organisation cérébrale est loin d'être terminée, même à la naissance à terme. Sa croissance cérébrale est encore très importante durant les deux premières années de vie ; en témoigne l'augmentation importante du périmètre crânien du nourrisson. Si notre bébé naît avant terme, son développement cérébral est d'autant plus inachevé et les connexions neuronales très incomplètes. Elles se compléteront donc *ex utero*, en fonction d'un environnement différent de celui de la grossesse. Il nous appartient donc, pour le meilleur développement cérébral possible de nos petits prématurés, de leur fournir un environnement optimal, c'est-à-dire celui qui provoque le moins de stress et se rapproche le plus possible de la vie utérine. Les soins nécessaires à leur survie amènent obligatoirement des désagréments pour le prématuré.

Les soins de développement :
une «révolution de velours»

La pratique des soins de développement², depuis les années 2000, permet d'élaborer des stratégies pour l'amélioration du bien-être des prématurés et de recréer au mieux le confort utérin perdu. Des cocons protecteurs les entourent, des tissus sont posés sur l'incubateur pour les protéger de la lumière, on fait attention à diminuer les bruits, et les soignants respectent autant que possible le rythme d'éveil et de sommeil de ce bébé. Mais où peut-il trouver le meilleur abri contre le stress généré par des soins obligatoires pour sa survie ? Quel lieu est le plus protecteur et le rapproche le plus possible de l'utérus perdu ? C'est bien sûr le ventre maternel ; à défaut d'être dedans, remettons-le le plus près possible, juste de l'autre côté de la paroi abdominale ; c'est sur le corps maternel qu'il retrouve au mieux les sensations connues *in utero*, l'enveloppement protecteur et le bercement, l'odeur et la voix maternelles. Il reconnaît les repères perdus depuis la naissance et peut poursuivre sa construction, en particulier cérébrale, dans les meilleures conditions. Il provoque ainsi plus facilement l'attachement de ses parents, condition également nécessaire à sa survie et à sa croissance. Les parents sont éblouis par les capacités de sollicitation et d'échange de leur bébé lors de ces contacts intimes peau à peau. C'est comme si la grossesse se poursuivait alors «à ciel ouvert», la vue en plus, pour le bébé et ses parents.

Le célèbre pédiatre américain Thomas Berry Brazelton a magnifiquement observé et décrit dans leurs moindres détails les compétences des nouveau-nés, même prématurés, cherchant à faire surgir «la meilleure compétence possible³».

Il a construit une échelle d'observation sur laquelle peuvent s'appuyer soignants et parents afin de mieux comprendre le bébé et de répondre ainsi à ses besoins. Nous savons que les pleurs sont un moyen d'expression majeur du nouveau-né pour nous signifier qu'il a besoin de nous (voir le chapitre «Les pleurs des nouveau-nés»). Certes, il s'agit de son seul moyen d'expression verbale. Mais il en a beaucoup d'autres, dans son expression corporelle, et nous connaissons aussi l'importance de ce mode d'expression chez l'adulte, qui en dit parfois plus long que des mots. Le bébé, par ses gestes, son tonus, ses réflexes, ses attitudes, son regard, ses expressions, ses réactions aux stimulations, nous en dit beaucoup sur son bien-être ou son inconfort. Par la façon qu'il a de s'endormir ou de se réveiller, d'organiser son sommeil ou par sa difficulté à le trouver; par des signes encore plus «archaïques», que le très grand prématuré aura seuls à disposition: sa coloration, ses rythmes cardiaque et respiratoire, ses hoquets, éternuements, bâillements, régurgitations, etc., par tout cela, il nous dit si, à ce moment-là, il éprouve du bien-être ou du désagrément. Il nous dit «stop» ou «encore» vis-à-vis des soins obligatoires ou facultatifs que nous souhaitons lui prodiguer à cet instant précis. Il nous montre très bien, par exemple, lors d'une pesée sur une balance rigide, froide et inconfortable, que cela ne lui convient pas du tout et qu'il faut cesser immédiatement: un bras est fléchi au-dessus de son visage, la main sur les yeux, paume vers l'extérieur, l'autre bras tendu et dressé, raide, le poignet en hyper extension, pour nous dire: «Arrête cela tout de suite, je n'en veux plus.» Grâce à Brazelton, nous avons appris à analyser ces signes, à les montrer aux parents, qui s'y initient très vite et les ressentent eux-mêmes intensément.

Les soignants ont ainsi progressé dans des soins de grande qualité, pour les actes les plus simples, comme changer une couche, peser un bébé en l'entourant d'un linge, le baigner enveloppé, le placer en position fœtale avec le dos arrondi et les membres fléchis lors de la prise de la température… Tous ces gestes du quotidien, effectués en fonction du moment le plus opportun pour le bébé, de la façon la plus délicate, avec la participation des parents, ont profondément modifié l'atmosphère des services de prématurés qui les pratiquent. Cette qualité de soins est appelée «soins de développement» et s'implante progressivement dans nos services de néonatologie. Bébés, parents et soignants y trouvent d'immenses bénéfices. C'est une véritable «révolution de velours», avec des «soins ouatés de douceur», comme le dit le dernier rapport Épipage sur le devenir des prématurés[4].

LE PARCOURS DES PARENTS

Nous venons de voir le parcours du bébé prématuré. Tournons-nous maintenant vers celui de ses parents.

La souffrance des parents

Durant mes années d'interne et de chef de clinique, j'ai été très touchée par la souffrance des parents, en particulier des mères, vivant la séparation de leur bébé à la naissance et leur séjour en réanimation et en néonatologie. En 1982, j'ai publié un article sur «l'établissement du lien mère-enfant après séparation précoce» au terme d'une enquête dans le service de néonatologie de l'hôpital Trousseau, à Paris, sur le vécu des mères de ces bébés hospitalisés dès la naissance[5]. Leurs mots pour décrire leur ressenti sont poignants :

«Je ne voulais pas la voir en réanimation. J'avais peur de la voir. J'avais un peu peur de sa maigreur… ça me crève le cœur de partir et de la laisser. On a l'impression qu'elle n'est pas à soi. Je n'avais jamais vu de couveuse, je voyais à peine sa figure, il y avait des tuyaux et du sparadrap partout, elle était attachée. Ça me faisait mal au cœur ; ça m'a fait énormément de peine de la voir comme ça. Je ne l'ai jamais eu dans les bras… À la maternité, j'avais très peu de visites, pas de coups de téléphone, même la famille n'osait pas appeler, on ne m'a pas apporté de cadeaux. »

Face à la brutalité de l'accouchement prématuré, et face au vécu de ces premiers moments, les mots des parents pour en parler sont d'une grande violence, traduisant leur souffrance majeure. Bernard Golse, étudiant le ressenti de parents en réanimation néonatale, rapporte aussi ce type de paroles. Les mots des parents pour exprimer leur expérience sont : « sidération », « fracture », « cauchemar », « vide », « arrachement », « perte », « dépersonnalisation », « effondrement », « dépression[6] ». Une mère, vivant dans la crainte de la mort de son bébé durant la période néonatale, a même déclaré : « J'étais pietà avant d'être mère. » Comment exprimer mieux la souffrance extrême d'une femme qui ressent la mort de son enfant avant de ressentir sa vie. Je pense toujours à cette phrase lorsque je suis devant une pietà.

Face à cette « tornade dévastatrice » qui s'abat sur les parents, comment peuvent-ils réagir et comment pouvons-nous les aider et les soutenir ?

Les réactions immédiates et « archaïques » face aux menaces vitales, en réaction à l'« effet prédateur » vis-à-vis d'un petit, que ce soit chez l'animal ou chez l'homme, sont les suivantes, se succédant ou s'entremêlant : le repli, la fuite, la défense agressive, le regroupement.

Toutes ces réactions peuvent se voir chez les parents d'un bébé prématuré, face à cette menace sur la vie de leur petit.

Le repli et la fuite

Le repli et la fuite sont parfois constatés. Vous, les parents, pouvez réagir en niant la réalité, en la mettant à distance. Vous pouvez être dans l'incapacité d'aller voir votre enfant, de prendre des nouvelles, de le toucher, de le prendre dans les bras, indépendamment de la distance qui vous sépare. Parfois, vous, la mère, n'avez pas conscience d'avoir eu un bébé, en particulier lorsque vous avez subi une césarienne en urgence, surtout si c'est avec une anesthésie générale. Il sera alors nécessaire de vous décrire les faits avec une grande précision, leur succession, leur déroulement exact, pour donner une réalité à cet événement qui échappe à la conscience maternelle. Le père a un grand rôle de témoin et l'équipe qui a participé aux décisions, à la naissance du bébé, à son accueil en néonatologie, retracera en détail les faits pour les inscrire dans le corps et le psychisme maternel et vous permettre ainsi de rencontrer ce bébé réel.

La défense agressive ou la culpabilité

La défense agressive est souvent rencontrée dans les situations de menace vitale, à l'hôpital et dans nos maternités en particulier. Quand cela va mal, il faut bien en vouloir à quelqu'un. Les réactions ne sont d'ailleurs pas toujours proportionnelles à la gravité de la situation, et le ressenti de chacun n'est pas à la mesure de la réalité vécue. Pratiquement toutes les mères vont avoir une agressivité vis-à-vis d'elles-mêmes : la culpabilité. Vous cherchez à trouver ce que vous avez fait pour déclencher cette prématurité, ou vous regrettez de ne pas avoir réalisé d'autres choses que vous auriez pu ou dû effectuer, bref, vous vous sentez coupables ; et même indignes d'avoir été dans l'incapacité de mener cette grossesse à son terme. Notre travail de proche ou de soignant est de vous montrer que vous n'êtes ni responsables ni coupables ; nous ne décidons pas de notre tension artérielle, de l'implantation exacte du placenta dans l'utérus, des détails de la croissance du bébé...

L'agressivité peut rejaillir sur les parents entre eux : la mère peut en vouloir au père et réciproquement ; un père peut penser, sans l'exprimer aussi clairement : « Elle est incapable de faire un bébé qui va bien. » L'agressivité peut également se reporter sur l'enfant : « Il me fait vivre un enfer, il me fait passer des nuits affreuses, il m'a fait beaucoup souffrir à la naissance... »

Enfin, l'agressivité peut se tourner vers les soignants ; la peur et la colère peuvent engendrer des paroles ou des attitudes violentes, qui sont d'ailleurs souvent rapidement regrettées si un dialogue et des explications viennent éclairer cette souffrance.

Nous voyons toute l'importance de la parole. Il s'agit de mettre des mots précis sur des faits compliqués, difficiles à intégrer, à comprendre et à accepter. Cela demande du temps, différent pour chaque famille. Il faut aussi trouver le bon moment, le bon endroit, le bon messager, et ce n'est pas facile. Mais il faut faire le maximum, et le plus tôt possible, pour que vous, papa, maman, puissiez rencontrer votre bébé et vous attacher à lui. Vous en avez besoin pour dépasser votre souffrance, et le bébé en a besoin pour vivre et se développer.

Le regroupement

La dernière façon de réagir à la menace est le regroupement. Les associations de malades, par exemple, répondent à ce besoin de partager une difficulté que d'autres vivent ou ont vécue. « L'expérience est une lanterne qui n'éclaire que celui qui la porte », dit Confucius. Ici, les lanternes vont se rassembler pour mieux éclairer chacun. Ainsi, dans les unités kangourou, où les mamans restent plusieurs semaines hospitalisées auprès de leur bébé prématuré, leur regroupement dans une pièce permettant de partager des repas leur est d'un très grand secours. Traversant les mêmes épreuves, vivant les mêmes souffrances, elles s'appuient les unes sur les autres pour mieux les surmonter et ce partage humain est riche pour chacune et source de réconfort et de confiance. L'association SOS Préma[7] remplit cette fonction et fait avancer l'accompagnement de la prématurité.

Vous comprenez ainsi que votre présence de parents, en particulier vous, la mère, auprès de votre bébé est une nécessité à la fois pour lui et pour vous-même. Or nos services de néonatologie français sont loin d'être conçus pour accueillir les parents confortablement, vingt-quatre heures sur vingt-quatre, et les services de réanimation de nouveau-nés encore moins. Des fauteuils sont souvent à disposition et quelques unités ont été pionnières dans cette aventure : intégrer le plus tôt possible et le plus longtemps possible la présence des parents, et surtout des mères, auprès de leur bébé. D'autres pays l'ont réalisé et ont publié les bienfaits de ces « soins centrés sur l'enfant et sa famille[8] ». Heureusement, nos services de néonatologie progressent de plus en plus dans cette direction.

Les soins centrés sur l'enfant et sa famille

Voici les grandes lignes directrices de cette philosophie des soins[9].

Les parents sont experts

Vous, parents, êtes experts pour prendre soin de votre enfant. Dans le cas d'un grand prématuré nécessitant des soins particuliers, la puéricultrice est à vos côtés pour vous accompagner le plus tôt possible dans les soins auxquels vous serez initiés au fil des jours. Vous vous révélez les meilleurs soigneurs pour votre enfant, les plus vigilants, les plus attentifs, les plus impliqués.

Une étroite collaboration

Les parents sont des alliés, des partenaires. Le *corps médical* n'exerce plus un *pouvoir* sur les parents, mais chacun agit dans une *étroite collaboration*. C'est une attitude plus modeste pour les médecins et infirmières, qui descendent ainsi de leur piédestal, mais ô combien plus gratifiante pour tous !

Des soins individualisés

Les soins sont individualisés, adaptés à votre bébé selon son rythme, à chaque famille selon son histoire, sa culture, ses attentes, ses représentations. Cela demande aux soignants d'écouter les parents, de faire surgir leurs émotions, leurs représentations, leurs souhaits, parfois en discordance avec la réalité du bébé. Il faut alors du temps, de la patience, de la compétence, de la bienveillance, de l'écoute empathique pour parvenir à se retrouver sur un projet cohérent et réaliste, le meilleur pour votre bébé, à ce moment-là.

Les professionnels s'engagent à partager les informations pour prendre ensemble les meilleures décisions et pratiquer des choix de santé éclairés. L'éclairage apporté par l'équipe médicale s'appuie sur des bases scientifiques prouvées.

Ce modèle collaboratif repose sur des valeurs de respect et de confiance mutuelle.

Toute la famille, parents, frères et sœurs, personnes ressources, sont pris en considération pour apporter le soutien nécessaire à l'entrée dans cette vie difficile pour ce bébé prématuré et sa famille.

LA MÉTHODE KANGOUROU

Nous tirons les leçons d'une formidable aventure débutée dans les années 1980 à Bogotá, la méthode des bébés kangourous[10]. Faute de couveuses en nombre suffisant, des médecins colombiens ont proposé cette méthode pour poursuivre les soins aux prématurés, une fois leur équilibre vital assuré. Nécessitant alors uniquement chaleur et nourriture, le meilleur endroit pour l'assurer s'est révélé être le ventre maternel, non plus à l'intérieur, mais à l'extérieur du corps ; il suffit d'installer les bébés confortablement dans un bandeau contre le corps maternel vingt-quatre heures sur vingt-quatre, et l'affaire est jouée. Les mères colombiennes ont parfaitement assumé ce rôle, renseignées et accompagnées de près par l'équipe médicale, revenant chaque jour à l'hôpital, même si elles devaient pour cela parcourir de nombreux kilomètres, parfois en car. Portant jour et nuit ce bébé sur elles, elles le nourrissent au sein, toutes les heures et demie la journée, toutes les deux heures la nuit, jusqu'à ce que le bébé atteigne le terme prévu. Un travail considérable pour les mères et les familles, mais tellement gratifiant et dont elles sortent très fières, et il y a de quoi !

Une pédiatre franco-colombienne, Nathalie Charpak, fille du célèbre Prix Nobel de physique, a participé activement à cette aventure et en a tiré scientifiquement les leçons[11]. Les bénéfices sur le devenir de ces bébés kangourous sont considérables : ils sortent plus rapidement des services de néonatologie, subissent moins de complications infectieuses, sont plus facilement nourris exclusivement au lait maternel, ont un meilleur rythme veille/sommeil. Tout cela contribue à un meilleur développement du bébé à court, moyen et long termes. Les bénéfices à long terme sur le développement cérébral sont particulièrement éloquents. Les publications scientifiques sur ce sujet s'accumulent et confortent ces données.

Nous tentons d'imiter ce magnifique modèle, mais notre culture et de nombreuses réticences nous freinent. Ce que sont capables de faire les mères colombiennes, pourquoi nos mères françaises ne le feraient-elles pas ? Notre société ne nous prépare pas à un tel engagement dans la maternité. Mais ne désespérons pas, nous avançons pas à pas dans ce sens. Actuellement, de plus en plus d'équipes y travaillent, convaincues des bénéfices prouvés de cette méthode sur la santé et le développement à court et long terme de ces bébés et sur la qualité du lien parental ainsi construit. Cela demande beaucoup de changements dans nos pratiques et nos mentalités.

Le premier changement indispensable est la présence des mères auprès de leur bébé durant leur séjour en néonatologie. Nous en voyons tout l'intérêt maintenant, et pour le bébé, et pour la mère.

LE LAIT MATERNEL :
UN BIEN PRÉCIEUX POUR LE PRÉMATURÉ

Un autre bénéfice à la présence maternelle auprès du bébé prématuré est la réussite de l'allaitement. Nous savons que, pour ces bébés en difficulté, la meilleure nourriture est le lait maternel. Ses bénéfices sont à ce point prouvés qu'il n'est plus question, en France, de proposer du lait de vache, même transformé et adapté au mieux par nos industriels, avant 32 semaines de terme. Si ce n'est pas la maman qui donne son lait, ce sera alors du lait de lactarium, récolté auprès de multiples mères. Ces informations précises apportées à la mère lui permettent de faire le choix éclairé de donner son propre lait, le meilleur, le mieux adapté, le plus sûr pour son bébé. Pour elle-même, c'est aussi un atout considérable : elle contribue ainsi au bien-être de son bébé, à sa santé, à sa croissance ; un lien étroit s'établit entre eux par cette nourriture venant de son corps, elle est fière de réaliser cela pour son enfant.

Mais ce n'est pas tâche facile ! La mise en route de l'allaitement se révèle déjà délicate pour de nombreuses mères, nous comprenons que pour un bébé prématuré qui ne peut pas téter directement et facilement, c'est une aventure plus laborieuse. Il faut s'aider du tire-lait qui remplace alors le bébé. Un long chemin initiatique devra être parcouru par maman et bébé, aidés par l'équipe soignante. L'équipe de Valenciennes a inventé un magnifique outil pour parcourir ce chemin depuis le peau à peau jusqu'à la tétée efficace : la fleur de lait[12]. Les critères d'efficacité de la tétée – prise en bouche du sein, qualité et durée de la succion et de la déglutition – sont notés sur un dessin et coloriés, aboutissant en fin de parcours à une jolie fleur multicolore. Mais, pour cela, la présence de la maman auprès de son bébé est extrêmement utile, voire indispensable.

Alors, mesdames les mères, futures mères, mères de prématuré, réclamez les moyens d'être présentes auprès de votre bébé. Et vous, soignants, faites tout pour rendre cela possible dans vos services. N'acceptez plus cette séparation inhumaine, source de tant de souffrances ! Que tout votre entourage vous aide à réaliser cette présence, la famille, les grands-mères, marraines, cousines, voisines… C'est ce bébé qui a le plus besoin de sa maman, et la maman de son bébé !

CHAPITRE 13

Les pères

*«Ce dont nous avons besoin,
c'est de mères et de pères
ayant réussi à croire
en eux-mêmes.»*

DONALD W. WINNICOTT

Longtemps restée figée dans un schéma traditionnel immuable, la place des pères a subi, au cours du XXᵉ siècle, des bouleversements considérables dans notre société française. Ces changements ont été particulièrement spectaculaires dans nos maternités et dans la participation aux soins apportés aux tout-petits.

Quelle est la place des pères actuellement ? Comment cette place a-t-elle évolué au cours des cinquante dernières années au regard d'une pédiatre qui les a côtoyés en maternité ?

LE SOCLE TRADITIONNEL

Traditionnellement, le père était le socle puissant de la famille, le *pater familias* empli d'autorité et de pouvoir ; il était porteur de la loi, transmettait le nom, assurant à toute sa famille le gîte et la nourriture grâce à un travail effectué laborieusement, parfois à la sueur de son front.

> *« La femme est au logis, cousant les vieilles toiles,*
> *Remmaillant les filets, préparant l'hameçon,*
> *Surveillant l'âtre où bout la soupe de poisson,*
> *Puis priant Dieu sitôt que les cinq enfants dorment.*
> *Lui, seul, battu des flots qui toujours se reforment,*
> *Il s'en va dans l'abîme, il s'en va dans la nuit.*
> *Dur labeur ! tout est noir tout est froid ; rien ne luit. »*
> **Victor Hugo, « Les pauvres gens »**

Les tâches familiales étaient bien séparées, chacun son rôle, la mère subissant souvent le poids des maternités successives et pas toujours bienvenues. Vigilante, à travers les gestes simples de la vie quotidienne, elle « élevait » ses enfants au rythme des heures, des jours et des nuits. Le père participait peu aux soins des tout-petits, même s'il était capable de s'émouvoir :

> « *Il est si beau, l'enfant, avec son doux sourire,*
> *Sa douce bonne foi, sa voix qui veut tout dire,*
> *Ses pleurs vite apaisés,*
> *Laissant errer sa vue étonnée et ravie,*
> *Offrant de toutes parts sa jeune âme à la vie*
> *Et sa bouche aux baisers !* »
> Victor Hugo, « Lorsque l'enfant paraît »

Beaucoup de choses ont changé depuis, mais n'avons-nous pas gardé quelques traces de ce socle ?

QUE S'EST-IL PASSÉ AVEC LES PÈRES DEPUIS CINQUANTE ANS DANS NOS MATERNITÉS ?

Leur présence en salle de naissance

Dans les années 1970, la première nouveauté fut de les admettre dans les salles de naissance. Ils ne s'y sentirent pas toujours et pas tout de suite très à l'aise pour la plupart. Certains essayèrent d'y échapper, se trouvant quelque excuse : le travail, une tâche importante, terminer *in extremis* la peinture de la chambre de bébé. Parfois, un mal subit s'abattait sur eux, empêchant toute présence efficace, quand ce n'était pas une chute, une fracture, une foulure qui les clouait à la maison.

Lorsqu'ils parvenaient jusqu'à la salle d'accouchement, pleins de bonne volonté, il leur arrivait souvent de faire un malaise, ou d'avoir brusquement faim ou soif, ou un besoin impératif de sortir de la pièce, juste au moment où le petit allait naître. Si, enfin, ils avaient réussi à rester jusqu'à la naissance, ils s'armaient alors d'un appareil pour faire le magnifique film en super-8 des premiers cris du bébé, se réfugiant derrière leur caméra ou leur appareil photographique. Mais ils ont tenu bon et se sont habitués progressivement à cette pratique, maintenant bien entrée dans les mœurs et vécue plus sereinement.

Puis le premier bain

Une fois ce «nouveau père» un peu familiarisé avec la salle de naissance, les soignants ont pensé qu'il était bon de faire participer papa activement, un peu plus qu'en proposant le brumisateur d'eau d'Évian à la maman pendant le travail. Alors, nous lui avons suggéré de pratiquer le premier bain du bébé; n'était-ce pas une bonne façon de le faire entrer dans la paternité? Ah, cette scène du premier bain avec le papa! À voir et à entendre, c'était un peu rude; en film, difficilement supportable! Le pauvre papa tentait de prendre ce bébé hurlant et se débattant comme il pouvait. Il s'appliquait de son mieux pour éviter le savon dans les yeux, la glissade, les éclaboussures... Rassurez-vous, il évitait cependant la noyade. Le bébé se tortillait et s'agitait en tous sens, papa essayait en vain de le câliner, le consoler, le sécher, l'habiller, lui parler, le bercer, tout cela de façon plutôt maladroite et inefficace, mais tellement appliquée, tellement attendrissante! Notre bébé finissait, après un long moment d'agitation, de refroidissement, par s'apaiser tant bien que mal avant de retrouver son berceau ou les bras de sa maman. Dure épreuve pour bébé et pour papa, qui avait pourtant fait de son mieux, et pour maman qui attendait de retrouver enfin son bébé !

Ensuite, couper le cordon

Quelques années plus tard, il est démontré que le bain à la naissance présente plus d'inconvénients que d'avantages et que de telles conditions ne permettent pas vraiment au bébé de retrouver le bien-être du liquide anténatal. Il faut donc proposer autre chose au père. Et, nouvelle bonne idée, la section du cordon ombilical ! Là encore, nos papas ne sont, le plus souvent, pas vraiment à l'aise pour faire ce geste, quand ce n'est pas une vraie moue de dégoût qui s'inscrit sur leur visage. Mais chacun considère alors, parents et soignants, qu'il a accompli fièrement le geste utile et hautement symbolique du père séparateur. Et il le fait encore, avec beaucoup d'application et la conscience d'accomplir un geste important pour son entrée dans la paternité. Réfléchissons un peu sur cette fonction paternelle à la naissance. Le père est-il ou doit-il être séparateur ? Si nous regardons dans la nature la plupart des animaux, et si nous nous interrogeons sur la réelle fonction attendue des mâles qui viennent d'avoir des petits, nous voyons que leur rôle essentiel est protecteur et non séparateur. La véritable fonction du nouveau père face à la mère et au petit est de les protéger des dangers et des prédateurs.

ET MAINTENANT ?
SUR LE CHEMIN DU PÈRE PROTECTEUR

Actuellement, nous favorisons, je pense, cette véritable place de père protecteur lors de la naissance[1]. La péridurale, souvent pratiquée, rend le travail moins douloureux et moins impressionnant pour le papa, qui se sent ainsi moins démuni devant sa compagne. Il a souvent partagé avec elle les informations et la préparation à la naissance. Quand bébé arrive, il est prêt à l'accueillir, à le regarder, à l'admirer, à partager ce moment unique de la vie où surgit le nouveau-né : la sage-femme installe bébé sur le ventre de la maman. Le papa, spontanément, le plus souvent, se met alors à entourer la maman et le bébé dans un geste qui les contient et les protège tous les deux, geste marqué d'admiration, d'émerveillement même, et le plus fréquemment empreint d'une grande émotion. Le regard du bébé va alors de sa mère à son père, leur signifiant son besoin fondamental d'attachement.

Les parents qui vivent cette première rencontre dans ces conditions témoignent de l'intensité de cet instant qui les « parentalise », qui crée un lien immédiat et fondamental avec ce nouveau petit être « humanisé » grâce à ce premier contact avec eux. Nous avons déjà évoqué, dans le chapitre sur la naissance, le témoignage ému des parents qui ont reçu ce premier regard. Les études des Suédois qui accueillent les nouveau-nés en peau à peau en évitant tout geste et soin inutile ont parfaitement décrit la séquence présentée par le nouveau-né et par les parents qui le reçoivent ainsi pendant les deux premières heures de vie. Nous avons vu en détail cette séquence sur les compétences extraordinaires du nouveau-né, sa sensorialité et ses atouts pour susciter l'attachement de ses parents. Recevoir le premier regard des deux parents à ce moment-clé de la vie constitue un socle émotionnel majeur sur lequel parents et bébé vont s'appuyer toute la vie. Le père est donc totalement impliqué dans cette première rencontre et plongé, lui aussi, dans un nouveau monde, qui le fait chavirer d'émotion.

Le peau à peau avec papa

Je veux témoigner de ces faits qui ont profondément modifié la première approche de la paternité en salle de naissance. Nous pratiquons de plus en plus le peau à peau pour accueillir le nouveau-né dès ses premiers instants de vie, en raison des bénéfices majeurs apportés aux adaptations à cette nouvelle vie pour le bébé et les parents. Le plus souvent, le nouveau-né est posé sur le ventre maternel pour des raisons physiologiques évidentes. Lorsque cela n'est pas possible ou non souhaité par la mère, ce peau à peau est alors proposé au père. C'est le cas, fréquemment, lors des césariennes, les conditions matérielles au bloc opératoire ne permettant pas toujours de placer le bébé en peau à peau sur sa mère. Le papa reçoit donc son bébé sur lui, en peau à peau, durant la première heure de vie. Après quelques réticences ou hésitations, de la part des soignants surtout, et aussi de quelques pères, cette pratique est devenue habituelle dans nos maternités et nous sommes témoins de ses bénéfices majeurs sur les bébés, les pères et les mères.

Les conditions d'accueil du bébé se révèlent ainsi nettement plus favorables qu'une couveuse ou un berceau. Les mères se consolent également beaucoup mieux de ne pas avoir été présentes comme elles le souhaitaient auprès du bébé durant ses premiers instants; les liens du couple en sont le plus souvent renforcés. Et les pères y trouvent une place magnifique. Ils sont plongés, sans qu'ils s'y attendent, dans une émotion débordante d'attention, de tendresse et

d'attachement. Leur rôle de père protecteur est alors
tement assumé : ils regardent leur bébé avec une i
majeure, le touchent délicatement, remettent soigneusement
la couverture qui aurait tendance à glisser, surveillent attentivement chaque petit détail de leur mimique, de leur gestuelle ;
une véritable fascination réciproque s'installe entre ce père et
ce bébé et les marquera pour la vie.

....

Émotion d'un peau à peau avec papa

Des jumelles naissent par césarienne un peu en avance. Elles sont
mises dès la naissance sur la poitrine du papa en peau à peau.
Je reste auprès d'elles, car toutes deux respirent un peu vite et je
crains qu'elles n'aient besoin d'une petite aide respiratoire. Sur
la poitrine du papa, rapidement, la respiration s'apaise et elles
deviennent bien roses. J'ai un film et des photos de ce moment
passé auprès de ce trio magnifique : le regard du papa va sans
cesse de l'une à l'autre avec une attention, une concentration,
une vigilance et une émotion immenses. Ces instants sont
inoubliables pour moi, mais surtout pour le papa !

En prenant ma garde de pédiatrie deux ans plus tard, je croise
ce papa dans un couloir, une de ses filles étant hospitalisée en
pédiatrie. Je ne l'avais jamais revu depuis la naissance. Nous
avons alors retrouvé l'émotion intacte vécue lors de la venue
au monde des deux petites, lorsque nous avions partagé ces
moments exceptionnels. Cette première rencontre avec ses
enfants à la naissance a certainement « chamboulé » ce père pour
la vie et l'a fait entrer dans une relation d'attachement d'une
force inouïe, inébranlable peut-être.

....

Ces nombreuses situations vécues avec les papas, les
photos, les films tournés pour les formations professionnelles
m'ont confirmé les bienfaits majeurs du peau à peau avec les

pères en cas d'impossibilité maternelle. C'est une belle façon d'entrer dans la paternité. Ne vous étonnez pas, messieurs, de cette proposition en salle de naissance si maman ne peut pas accueillir ainsi votre nouveau-né. Mais si vous ne pouvez pas le faire à ce moment-là, vous pourrez vous rattraper plus tard et relayer maman les jours et nuits suivants. Et si vous ne le faites pas, il existe bien d'autres façons de s'attacher à son nouveau-né.

LE PAPA MÉDIATEUR
LORS DE LA SÉPARATION MAMAN/BÉBÉ

Lorsque le bébé est prématuré ou présente une pathologie obligeant une séparation d'avec sa mère dès la naissance, ce rôle du père est encore renforcé. Si ce peau à peau paternel initial peut être pratiqué, la souffrance de la séparation ultérieure nécessitée par un séjour en néonatologie s'en trouve très atténuée pour les deux parents, et certainement aussi pour le bébé. Le père peut parfois continuer le peau à peau au sein du service, tant que la maman ne peut pas le faire ou en le partageant avec elle. C'est le père qui voit le bébé le premier, qui est le messager des bonnes ou des mauvaises nouvelles. Il est la liaison entre la maternité et la néonatologie, apportant le lait maternel, les objets matériels faisant lien : un petit foulard de la maman pour mettre dans l'incubateur auprès de bébé, un linge porté par le bébé qu'il transmet à la mère, une photo, une vidéo du petit... Il fait tout pour créer cette attache et protéger la mère des souffrances ressenties par la séparation, portant parfois un lourd fardeau, souhaitant épargner des nouvelles incertaines à la maman. Il assume le plus souvent ce rôle de protecteur d'une façon étonnante et admirable. Au rôle de protecteur s'ajoute aussi celui de médiateur, de créateur du lien avec le monde, reliant l'enfant et sa mère aux autres acteurs de leur vie présente, créant l'unité familiale.

Voilà comment révéler les trésors d'une paternité protectrice! Le mieux serait certainement qu'il n'existe pas, ou le moins possible, de séparation entre le bébé prématuré ou malade et sa mère, qu'ils puissent être accueillis ensemble dans le même lieu, ce qui se fait dans d'autres pays, en Suède par exemple. Espérons que ce modèle puisse s'appliquer de plus en plus en France. Certaines équipes pionnières et nos formations envers le personnel accompagnant la naissance y travaillent. Quelques maternités accueillent les pères jour et nuit pour qu'ils créent ces liens fondateurs le plus tôt possible. Souhaitons que cette ouverture aux pères se généralise dans toutes les maternités, et ce malgré les difficultés matérielles et les réticences de certains soignants. Vous, parents, réclamez-le aussi auprès de nos institutions pour l'obtenir! Vous pouvez faire avancer les pratiques. La voix des «usagers» est importante, ils ne sont plus considérés seulement comme des «patients».

Nous sommes donc très loin du père séparateur. Nous nous sommes éloignés du concept restrictif de «dyade» mère-enfant pour nous approcher de celui de «triade» mère-enfant-père, nous fondant sur une organisation triangulaire de la famille. Cette notion philosophique s'appuie sur une réalité physiologique: ce sont les gènes paternels qui permettent la fabrication d'un organe tiers, le placenta, nécessaire à la vie, à la croissance et à la protection du fœtus. Il s'agit d'un tiers unificateur et porteur de vie.

À LA MAISON

Lors du retour à la maison, le père a encore un grand rôle à jouer. Le congé qui leur est accordé permet une présence plus grande auprès de la maman et du bébé durant la difficile période postnatale. Pour les mères, la tradition parlait des quarante jours avant les « relevailles » et de nombreuses cultures gardent des rituels d'accompagnement des mères durant cette période. Nos familles éclatées offrent rarement un accompagnement familial étoffé. Le père est souvent le seul à l'assumer et ne dispose pas de quarante jours. Mais il est important qu'il prenne ce congé à ce moment où la mère en a tant besoin, qu'il ne le reporte pas à plus tard, quand le temps sera meilleur ou pour le cumuler avec d'autres congés.

Comment peut-il alors aider efficacement la mère, la soutenir, la protéger ? Doit-il la remplacer dans certaines tâches, et lesquelles ?

Une place à trouver

Revenons sur les évolutions culturelles de ces dernières décennies. La place et le rôle des femmes et des hommes ont été sérieusement bousculés, les tâches sont davantage partagées. Mais notre féminisme est un féminisme égalitaire et non identitaire comme dans les pays nordiques ; les Norvégiennes ont su faire l'unité entre le sein sexuel et le sein allaitant. La révolution féministe française s'est faite dans un contexte historique et culturel différent[2]. La maternité est maintenant le plus souvent choisie grâce à la contraception ; l'allaitement maternel est encore présenté par certaines féministes de cette époque comme une contrainte, privant la femme d'une liberté essentielle[3]. Hommes et femmes, nous gardons pourtant des corps et des fonctions physiologiques différentes et la maternité ne peut être partagée de la même façon identitaire par les hommes et les femmes. Les rôles sociaux ont effectivement évolué vers un partage des tâches équitable, mais tout ne peut être substitué. La grossesse, l'accouchement et l'allaitement sont des fonctions spécifiquement féminines[4]. Et c'est aussi, pour beaucoup de femmes, un privilège.

Ainsi, qu'en est-il du père qui souhaite donner un biberon de temps en temps, même quelquefois la nuit, pour soulager sa compagne des contraintes excessives de l'allaitement, et lui permettre notamment de dormir la nuit ? L'intention est bonne et louable, mais est-ce vraiment rendre service à la maman ? J'appellerais cela, en souriant, un « paternisme égalitaire », si je puis me permettre ce néologisme. Nous comprenons très bien son désir de partager, de participer, mais cela aide-t-il vraiment la maman ?

Durant la nuit, la mère aura les seins gorgés de lait. Si elle ne donne pas la tétée, elle risque de le ressentir douloureusement, et bébé ne prendra peut-être pas aussi facilement le biberon proposé. La rupture physiologique de la loi de l'offre et de la demande risque de compromettre le bon déroulement de l'allaitement. Il est préférable de proposer un accompagnement compétent de l'allaitement maternel pour que le bébé ait des tétées efficaces, donc rendre cet allaitement plus facile, indolore, dans un véritable plaisir pour la maman, ce qui est souvent le cas lorsqu'il est bien mis en route. Lorsque l'allaitement est en place, il est possible de tirer le lait maternel pour que le papa le donne au bébé occasionnellement. Si la maman a choisi d'emblée le biberon, la fonction nourricière peut être partagée plus facilement, ne mettant plus en jeu directement le corps maternel.

Un soutien efficace pour maman, des ailes pour bébé

Le papa a pour rôle essentiel de protéger, d'entourer, de contempler le trio formé par la mère, son bébé et lui-même[5]. Durant les premiers mois, maman et bébé ont un besoin physiologique de proximité intense, en continuité avec la vie fœtale pour le bébé, favorisant la meilleure adaptation, et en continuité psychique avec la «préoccupation maternelle primaire» décrite par Winnicott. C'est le «quatrième trimestre de la grossesse[6]». La mère est habitée corps et âme par ce bébé, d'abord en elle puis physiquement hors d'elle, mais non psychiquement. Le cordon psychique ne se coupe pas si facilement. Le nid du bébé, c'est le corps de la mère, et elle y trouve, elle aussi, son bien-être de mère.

Cela demande toutefois confort physique, attention, présence et soutien. C'est une période hors des normes sociales habituelles. Les horaires sont totalement décalés, adaptés à ceux du nouveau-né. Le papa veillera donc à s'adapter également à son rythme. Dans la plupart des pays du monde, la mère s'adapte au bébé. En France, notre culture aurait tendance à faire l'inverse : le bébé doit s'adapter aux parents et à notre société. Laissons-lui le temps. Les sociétés traditionnelles mettent en œuvre tous les moyens pour que la mère se repose et n'ait qu'à s'occuper du bébé, sans se préoccuper des tâches annexes. C'est cela que le papa doit assumer.

En trouvant une nouvelle organisation et éventuellement les aides nécessaires, il s'occupera volontiers des aînés, pourra donner le bain de bébé ; il aura ainsi tout loisir de le faire tranquillement, à sa façon. Progressivement, et favorisé par le partage d'une proximité physique avec son bébé depuis la naissance, il est à l'aise avec lui et trouve facilement les gestes adéquats.

Son rôle est aussi d'écarter les prédateurs, comme dans le monde animal. Qui sont-ils pour la maman et le bébé ? À la maternité, ce sont les multiples visites qui envahissent la chambre maternelle et empêchent l'intimité, la bulle dans laquelle la maman devrait être plongée corps et âme ; le père doit veiller à lui épargner toutes les diversions qui l'éloignent de son bébé, devenu le centre du monde pour elle. Il n'a pas à prévenir rapidement tous les cousins, collègues et amis, qui viendraient perturber la naissance de cette nouvelle famille. Il doit chasser les intrus, les perturbateurs de paix, les parasites du bien-être maternel. Il met à distance la belle-mère trop intrusive, la voisine trop curieuse, la tante « mêle-tout » et l'ami donneur de leçons mal venues. Il sélectionne les appuis efficaces et délicats, qui emmènent les grands à l'école, qui apportent à la maison une tarte aux pommes ou un poulet rôti, qui proposent de faire les courses… Voilà quelques propositions d'actes protecteurs et antiprédateurs pour le nouveau père !

Il est alors également le tiers intégrateur, qui ouvrira progressivement la mère et l'enfant sur le monde. Son amour pour la mère et le bébé a tissé un filet de sécurité autour d'eux, favorisant la construction de leur identité respective. Au fil du temps, les mailles du filet vont s'élargir pour créer l'espace permettant à chacun de se développer et de s'épanouir librement.

En l'absence du père, cette fonction peut être remplie par une ou plusieurs personnes choisies par la mère. L'évolution sociale vers de nouvelles parentalités ouvre le champ des possibles.

Nous pouvons vous faire confiance, vous, les pères, pour construire et inventer sans cesse votre place auprès des bébés dans notre monde en permanente évolution. Votre place prise dès les premiers instants de vie facilite ensuite tout le chemin que vous allez parcourir avec cet enfant et cette famille que vous construisez au fil des jours et que vous ouvrez au monde.

CHAPITRE
14

L'attachement

*«La proximité est la pierre angulaire
de la théorie de l'attachement
dans les premiers mois du développement
du bébé et de ceux qui l'élèvent.»*

JOHN BOWLBY

À la notion d'autonomie vis-à-vis du nourrisson, prônée et valorisée des années 1970 jusqu'aux années 2000, nous substituons maintenant celle d'attachement. « Un nouveau-né tout seul n'existe pas », nous rappelle Winnicott à juste titre. Le nouveau-né nécessite impérativement la présence d'un adulte pour sa survie, rendant cette notion d'autonomie bien illusoire ! Nous avons réalisé, depuis une vingtaine d'années, l'importance de cet attachement et un intérêt majeur est accordé aujourd'hui à travers le monde à la théorie de l'attachement. Il me paraît important de vous l'exposer en rappelant son historique.

UN PETIT HISTORIQUE DE L'IMPORTANTE THÉORIE DE L'ATTACHEMENT

Voici ce que dit John Bowlby[1], qui a élaboré la théorie de l'attachement : « On peut définir l'attachement comme une stratégie utilisée par un enfant pour obtenir confort et sécurité. » L'attachement est un processus destiné à assurer la survie de l'espèce en maintenant une proximité entre un nourrisson et sa mère. Il débute dès la grossesse et s'établit dans les trois premières années de la vie. Il influencera la façon dont l'enfant va ensuite établir des relations sociales pour le reste de son existence. Le système d'attachement est activé par le stress : peur, douleur, maladie, séparation ou crainte de séparation.

Ce développement « historique » que je vous propose est un peu détaillé, mais il constitue la genèse de l'intérêt pour la proximité et le socle scientifique de la pratique que je défends de la non-séparation. C'est un sujet passionnant, et parfois passionnel, car il s'oppose à la théorie préexistante de l'autonomie précoce, qui a dicté nos conduites éducatives des cinquante dernières années. Comment un nouveau-né humain peut-il être autonome, c'est-à-dire jouir de son indépendance et de sa liberté matérielle et intellectuelle alors qu'il est le mammifère le plus dépendant et le plus longtemps muni d'un cerveau encore très immature[2]? C'est justement cette immaturité, qui laisse une grande place à l'environnement et à la plasticité cérébrale, qui en fera sa richesse et son assise pour toute la vie, sous l'influence de cet environnement humain, humanisant pour tout son devenir.

Si vous ne souhaitez pas entrer dans les détails explicatifs de ce chemin vers l'attachement, vous pouvez bien sûr lire directement le paragraphe suivant : « Comment se construit l'attachement entre le bébé et ses parents ».

La genèse de la théorie de l'attachement

Les travaux de recherche et les publications concernant l'attachement sont très nombreux depuis les années 1950, notamment à la suite de l'observation des perturbations familiales traumatisantes liées à la Seconde Guerre mondiale.

Anna Freud (1895-1982) a été une des premières, après le Blitz, en 1940 à Londres, à parler d'un besoin primaire d'attachement et de la nécessité de le respecter[3].

René Spitz (1887-1974), la même année, publie une description des enfants hospitalisés durablement, privés d'affection et tombant en état de marasme sous le terme d'«hospitalisme[4]». Spitz a aussi démontré que le sourire était l'un des trois organisateurs fondamentaux du psychisme du petit d'homme. Il a découvert l'importance du face-à-face et de l'«œil-à-œil» du bébé avec ses partenaires : il montre que la configuration «deux yeux/un nez/une bouche» fournie par un masque induit le sourire de l'enfant. Et que le sourire se fige si le visage ou le masque est présenté de profil. Ces constatations ont été reprises plus récemment par Pierre Rousseau dans des films dévoilant le premier regard du bébé porté sur ses parents lorsqu'il est placé en face à face avec eux.

Andrew Meltzoff (1950) *et Keith Moore* (1925) ont montré la capacité des bébés à percevoir une modification «étrange» de la zone orale du partenaire (tirer la langue par exemple), ainsi que la capacité du bébé à imiter la mimique[5].

Harry Harlow (1905-1981) et ses collaborateurs ont surtout étudié les conséquences de l'isolement chez le singe rhésus, placé en présence de deux mannequins, l'un constitué d'un treillis métallique et équipé de deux tétines délivrant du lait et simulant des mamelles, l'autre revêtu de fourrure et dépourvu de tétine. Le singe se blottit le plus souvent contre le mannequin avec fourrure. Ces travaux démontrent ainsi la priorité du besoin de proximité sur le besoin de nourriture[6].

La théorie élaborée par Bowlby

John Bowlby (1907-1990) s'est inspiré des travaux de Harlow en intégrant les perspectives éthologiques et psychanalytiques. Il a ensuite étendu la recherche en ce domaine et élaboré une « **théorie de l'attachement** ». Il explique les effets importants de la séparation et de la perte chez les animaux et chez les humains, tant par leur étendue que par leur sévérité. Bowlby décrit *trois phases en réponse à la séparation* :

- Une première *réaction active de protestation*, accompagnée de mouvements frénétiques de recherche et d'un état physiologique d'excitation aiguë, représentant un comportement d'attachement hautement actif pour obtenir les retrouvailles.
- Si la séparation se prolonge, une *deuxième phase d'allure passive* apparaît : l'enfant se recroqueville, anxiété et colère laissent la place à la tristesse et au désespoir.
- La troisième phase se manifeste par un *comportement de détachement*.

Du point de vue adaptatif, la protestation vise à réunir parents et enfant tandis que la réponse de désespoir vise à préparer l'enfant à une survie passive prolongée en combinant conservation de l'énergie et évitement du danger ; c'est la « réponse conservation-évitement ».

Bowlby a décrit les conséquences de la séparation mère-enfant sur les grandes fonctions physiologiques et le développement du bébé :

- Le rythme de sommeil des nourrissons humains séparés de leur mère est haché, agité, avec des réveils fréquents.
- L'activité orale est accrue, les bébés sucent plus souvent leur pouce ou des objets.
- Des effets sévères de la privation maternelle à long terme ont été observés, occasionnant des troubles de la régulation thermique, un retard de croissance avec diminution de synthèse de l'hormone de croissance. Des

études complémentaires ont montré le retentissement sur les systèmes endocriniens, métaboliques et sur le système nerveux autonome. La séparation maternelle est un stress pour le bébé. Or de nombreuses études actuelles attestent les multiples effets du stress sur les grandes fonctions physiologiques de l'organisme, en particulier sur le cerveau en développement du nourrisson.

Le temps n'est pas si loin où les parents ne pouvaient être présents auprès de leur bébé hospitalisé. J'ai été témoin de ces séparations au début de ma pratique, les parents regardant derrière une vitre, dans un couloir, leur bébé prématuré ou hospitalisé en pédiatrie. Et j'en ai constaté les conséquences sur les nouveau-nés hospitalisés.

L'attachement : une base de sécurité pour la vie

Mary Ainsworth (1913-1999) a complété les travaux de Bowlby sur l'attachement en confirmant son caractère primaire et a proposé le concept de « base de sécurité » à partir de laquelle le nourrisson peut explorer son univers. Elle a réalisé une étude expérimentale et standardisée de séparation maternelle appelée « situation étrange » afin d'évaluer la sécurité des comportements universels d'attachement. Les enfants âgés de plus d'un an ont été mis temporairement en présence d'une personne étrangère, tandis que la mère s'est absentée provisoirement. La réaction de l'enfant au retour de sa mère est analysée et *trois groupes de réactions sont différenciés* :

- Le *groupe dit* « secure » : après une protestation à la séparation, l'enfant retrouve sa mère avec plaisir et peut reprendre ses jeux.

- Le *groupe «résistant ou ambivalent»*: l'enfant manifeste détresse, rejet et colère à la séparation et difficulté de réconfort lors des retrouvailles maternelles.
- Le *groupe «évitant»*: l'enfant semble peu affecté par la séparation et évite la proximité et le contact en retrouvant sa mère.
- Le *groupe «insecure, désorienté»* a été introduit par la psychologue Mary Main ultérieurement.

Nous ne pouvons parler d'attachement sans citer les deux grands pédiatres qui ont travaillé toute leur vie sur le lien entre le bébé et ses parents: Donald Winnicott et Thomas Berry Brazelton.

Donald Winnicott (1896-1971) décrit l'état très particulier des mères dès la grossesse et durant la période postnatale sous le nom de «préoccupation maternelle primaire[7]».

Winnicott nous parle également de la «mère suffisamment bonne», d'«une mère ordinaire normalement dévouée» et d'«interdépendance physique». Il décrit ainsi la «mère suffisamment bonne[8]» (qu'il vaut mieux traduire par mère «ordinaire» plutôt que «suffisamment bonne»):

«Dans cet état, la mère peut se mettre à la place de son nourrisson. Elle fait alors preuve d'une étonnante capacité d'identification à son bébé, ce qui lui permet de répondre à ses besoins fondamentaux comme aucune machine ne peut le faire et comme aucun enseignement ne peut le transmettre[9].»

Thomas Berry Brazelton, pédiatre américain qui a fêté ses 99 ans, a observé et décrit durant toute sa vie le comportement du nourrisson dans ses moindres détails, cherchant à faire émerger sa « meilleure performance ». Il a créé une échelle d'observation permettant aux parents d'« ouvrir les yeux sur les compétences et les besoins de leur nouveau-né, d'observer et d'apprendre à interpréter le langage de leur bébé[10] ».

De nombreux auteurs ont complété et enrichi ces données de base sur l'attachement. Ne pouvant tous les citer, je vous propose de les retrouver dans la bibliographie.

COMMENT SE CONSTRUIT L'ATTACHEMENT ENTRE LE BÉBÉ ET SES PARENTS

À la lumière de toutes ces études, analysons maintenant comment se constitue l'attachement entre le bébé et ses parents.

L'attachement est un lien, une chaîne qui relie deux personnes. La chaîne est faite de maillons qui s'imbriquent. Nous allons nous pencher sur ces éléments de l'attachement du bébé pour ses parents et des parents pour leur enfant.

Ces maillons sont constitués de trois éléments :
- Le corps fait de chair, d'organes, d'hormones, des cinq sens, de pesanteur, de douleurs physiques éventuelles.
- L'esprit contenant la connaissance, la pensée, la réflexion, la psychologie, consciente et inconsciente.
- L'âme qui anime la vie, qui est le souffle et la flamme. La flamme est une petite bougie, une braise, ou un feu plus ou moins ardent[11].

Au commencement de l'attachement se trouve le désir, fait de souffle et de flamme, comme la montgolfière prête à s'envoler. Ce désir rapproche deux êtres humains, créant un premier lien qui les attache si fort que les corps se fondent.

Ce désir de l'autre porte parfois en lui le désir d'enfant et peut aller jusqu'à la rencontre d'un spermatozoïde et d'un ovule à l'origine d'un embryon. Ce nouvel être va s'attacher au corps de la femme, se nicher au fond de son ventre et croître en elle pendant neuf mois. L'attachement va se développer entre ces deux êtres si intimement liés par le corps, sous le regard de celui qui a participé à l'origine de ce nouvel être.

Le temps de l'attente

Plusieurs repères sont particulièrement marquants pour l'attachement entre ce nouvel être et ses parents.

Vous découvrez que vous êtes enceinte

La connaissance de cet embryon, la preuve de sa réalité est apportée le plus souvent par un test, qui objective la grossesse dans l'intimité du couple. Cela est réalisé alors qu'aucun symptôme physique ne l'a encore affirmée ou même évoquée.

La femme, dans sa pensée, va projeter tout ce futur possible avec ses représentations, ses fantasmes, ses espoirs et ses craintes. Dans son corps, elle va alors observer, ressentir et analyser toutes les modifications, infimes d'abord, puis de plus en plus présentes et manifestes. Elle n'aura pas ses règles, qui rythment habituellement sa vie, ressentira la modification de ses seins, l'éventuelle fatigue qui s'abat sur elle, les nausées parfois, le dégoût envers certains aliments ou odeurs.

L'homme va être bouleversé dans sa pensée, et ses émotions vont également retentir dans son corps, mais il ne subira pas les effets physiques de cette nouvelle présence. Il regardera et considérera d'un œil nouveau celle qui porte en elle ce nouveau trésor et l'attachement entre cet homme et cette femme sera remanié en profondeur.

La consultation médicale

La consultation médicale est le deuxième temps fort de l'attachement. C'est l'objectivation sociale de la grossesse, à l'extérieur du couple. Elle va impliquer l'accomplissement de plusieurs démarches.

- La déclaration de grossesse : c'est l'acte social, l'implication de ce nouvel être dans la chaîne humaine et l'histoire de l'humanité.
- Le suivi médical : c'est l'inscription dans le corps et la réalité physique de cet « être en devenir », avec les aléas possibles de cette évolution physique vers un être idéalement parfait ou marqué par des altérations plus ou moins « supportables ». C'est inscrire ce futur bébé dans l'incertitude, l'imperfection possible, voire déjà la confrontation à la mort, parfois crûment évoquée.
- La première échographie : c'est la visualisation « réelle » de ce petit être enfoui au fin fond du ventre maternel. C'est une intrusion, une effraction, une percée à travers le corps pour dévoiler la présence de cet embryon niché dans l'utérus, protégé par de multiples enveloppes, et dont le secret va être révélé au grand jour à l'aide d'appareils sophistiqués. Depuis que l'homme a marché sur la Lune, nous ne regardons plus tout à fait le ciel et les astres de la même façon. C'est ici un peu la même chose, depuis que nous pratiquons des échographies, nous ne voyons plus le fœtus avec les mêmes yeux et les parents ne vivent plus la grossesse de la même manière. Ce grand mystère est

objectivé visuellement, analysé, mesuré, évalué dans sa capacité à être «normal» et dans son aptitude à poursuivre son développement dans le ventre maternel. Il prend une réalité à la fois incontestable, mais qui fait aussi peser sur lui la fragilité, l'imperfection possible. Cette visualisation, cette surveillance renforcent l'attachement en rendant le fœtus encore plus présent et réel. Elle inscrit «noir sur blanc» des images, donne lieu à un compte rendu écrit avec chiffres, mesures, pourcentages, contrôles et commentaires. Elle inscrit aussi dans le cœur des parents la réalité des incertitudes, des aléas de la vie qui démarre, pouvant faire ainsi barrage au processus d'attachement déjà élaboré. Ces images, cette confrontation au réel peuvent être un maillon fort de la chaîne, mais peuvent également participer à sa fragilité.

Les premiers mouvements du fœtus

Le troisième temps fort dans la chaîne de l'attachement est, pour la femme, le ressenti des premiers mouvements du fœtus. Au cours du quatrième mois de grossesse se produit ce phénomène bouleversant; elle ressent cette vie qui bouge, tressaille dans son corps. Ce n'est plus une idée ni une image ou un compte rendu avec des chiffres, c'est un être vivant qui remue et lui envoie un signal de sa présence; c'est un appel du pied, au sens propre et au figuré. C'est le fœtus qui le déclenche, qui l'appelle; et la femme répond par une émotion intense, qui va déclencher chez elle des modifications physiques et hormonales; son flux sanguin est modifié, et le fœtus va probablement lui aussi le ressentir dans son corps.

C'est le premier dialogue physique et intense entre eux deux, au fin fond de leur intimité : « Les coups de pied, les sauts, les frémissements attirent sans résistance possible l'esprit au creux du ventre. La voie du corps et la voie des premières relations véritables de la mère et de son enfant. Tout entière "possédée" en des moments furtifs, la femme se rétracte et s'absente du monde[12]. »

Vient ensuite le temps de la régression et de la plénitude. La femme a besoin d'être protégée pour se mettre à l'abri de l'angoisse de l'avenir et de cette aventure qui prend forme. Durant le troisième trimestre, elle peut alors jouir d'une plénitude qui renforce l'attachement élaboré jusqu'alors.

Le temps de la naissance

Surgit alors le temps de la naissance. Le lien utérin est rompu et laisse place à l'attachement dans la réalité de ce monde nouveau pour l'enfant et pour les parents.

Le nouveau-né ne peut survivre sans l'aide d'un adulte. Le bébé est biologiquement programmé pour rechercher la proximité d'un adulte.

Le comportement d'attachement du nouveau-né

Le nouveau-né est équipé d'un répertoire comportemental inné qui lui permet d'obtenir cette proximité : son comportement d'attachement se manifeste dès les premiers instants de vie. Il a tout ce qu'il faut et va faire tout ce qu'il peut pour maintenir la proximité avec un adulte.

Ce poupon adorable, son minois avec le front bombé, qui vous remplit de tendresse, attire le plus souvent l'adulte vers lui.

Ses cinq sens sont un fort élan à la proximité et à l'interaction : son attention visuelle soutenue, son regard « les yeux dans les yeux » déclenchent irrésistiblement affect et émotion chez celui qui croise ce regard[13]. Il y ajoute une dilatation des pupilles, un écarquillement des yeux, des sourires et des mimiques qui vous fascinent. Ses petits bruits de bouche, ses mouvements de succion, son odorat en éveil contribuent à attirer l'attention sur lui. Son réflexe de *grasping* qui empoigne le doigt, sa caresse qui frôle le sein, les mains qui se tendent, tout est fait pour retenir l'adulte présent. Le réflexe de fouissement du bébé, la réponse maternelle par le peau à peau sont les niches tactiles et charnelles de l'attachement.

S'installe un dialogue magnifique si l'adulte répond aux mimiques et gestuelles du bébé, au point que l'on pourrait oublier qui a commencé. Mais c'est le bébé qui a déclenché cette « synchronie », ce dialogue, cette danse entre lui et l'adulte qu'il sollicite. Tous ces atouts positifs sont mis en œuvre par le nourrisson. Il en est le déclencheur, le starter. S'il ne rencontre pas le visage qu'il attend, s'il ne peut saisir la main qui serrera son doigt, s'il ne rencontre pas l'odeur, la voix, le bercement qu'il sollicite, il sera alors acculé à utiliser un moyen plus radical pour assurer la proximité d'un adulte : les pleurs. Lorsque les stimulations externes ou internes, les émotions, dépassent une certaine intensité, l'enfant ne peut les réguler tout seul. Il va chercher de l'aide par les pleurs auprès de sa figure d'attachement. C'est son ultime appel à l'aide pour assurer sa sécurité dès qu'il se trouve dans l'inconfort.

Nous comprenons le rôle du corps maternel comme meilleure garantie de sécurité, de bien-être pour le nouveau-né, ce corps maternel formant un pont, une continuité sensorielle entre sa vie pré et postnatale. Naître, pour le nouveau-né, c'est changer de monde, s'adapter, mais c'est aussi créer des liens indispensables pour sa survie. Dès les premiers instants de vie et durant la première heure, il met tout en œuvre, avec ses réflexes et ses cinq sens, pour séduire ceux qui l'accueillent, ses parents, le plus souvent, pour qu'ils « tombent amoureux », et se lier à eux ainsi définitivement.

Insistons sur le regard, tout nouveau pour lui, « le protoregard, regard fondateur des premières minutes où commence le lien ». Le pédiatre Marc Pilliot l'a parfaitement décrit : « La peur première de perdre "son" monde antérieur, la peur originelle qui a conduit le bébé à pousser son cri de naissance est maintenant enveloppée d'une paix immobile dans ce regard fixe, profond, intense, pénétrant, sidérant, foudroyant. [...] Un regard qui vient des profondeurs de l'être, un regard qui transperce et qui transcende. [...] magie muette de ce regard qui joue sur notre émotivité, voire sur notre spiritualité[14]. »

La mère, figure d'attachement privilégiée pour le bébé

La mère constitue ainsi la figure d'attachement privilégiée pour le bébé. Elle aussi est programmée biologiquement pour répondre aux besoins et aux attentes de celui-ci.

Durant la grossesse, elle s'est préparée à la venue au monde. L'accouchement apporte des modifications hormonales qui la rendent plus réceptive aux incitations de l'enfant. L'allaitement lui fournit des atouts supplémentaires en l'inondant d'ocytocine, l'hormone qui favorise l'attachement. Les quelques jours qui suivent la naissance sont une période sensible pour favoriser cet attachement. C'est ce que les Anglo-Saxons nomment le « *bonding* » : un lien affectif qui unit la mère et l'enfant et s'inscrit biologiquement. Ce lien pousse la mère à prendre soin de son petit : c'est le « *caregiving* », que l'on traduit par « don de soins ». La mère est la plus à même d'apporter les soins à ce nourrisson dépendant. Le bien-être ressenti en réponse aux demandes de son bébé active le circuit de la récompense et lui permet de procurer les soins adaptés, « un bon *holding* et *handling* », selon Winnicott. Ces circuits désactivent les émotions négatives, telles la peur, la colère ou la tristesse.

Bien sûr, la sensibilité des parents aux signaux du bébé nécessite proximité et disponibilité.

La proximité physique du bébé fait devenir parent

La *proximité* physique, sensorielle avec le bébé déclenche la *réciprocité* des échanges dans un dialogue physique, vocal, visuel, charnel, riche en émotions pour les parents. Ce processus adaptatif conduit à une série de comportements mutuellement gratifiants. Ces échanges engendrent un sentiment de *responsabilité* chez les parents. Ils sont « parentalisés » pour la vie, et ne pourront plus faire défaut à l'enfant. Cet attachement se fonde sur la proximité physique : le lien charnel envoie des messages d'une force puissante, capable de déclencher des réponses ajustées qui responsabilisent ceux qui partagent ces échanges. Ainsi se constitue le *socle de sécurité*, de bien-être, de *confiance pour toute la vie de l'enfant*. Ce socle lui servira de tremplin pour rebondir, de racine pour puiser dans toutes les ressources dont il aura besoin au cours de son développement.

Les mois suivants

L'enfant construit durant sa première année de vie ses figures d'attachement principales et secondaires, qui lui procurent l'assise solide, la confiance pour la vie. Sa mère représente le plus souvent sa figure d'attachement principale, car c'est elle qui assure le « *caregiving* » lui procurant les soins du quotidien. Petit à petit, en tâtonnant, elle va trouver le *modus vivendi* avec lui, les meilleures réponses à ses demandes multiples. Une secrète alchimie va se former entre eux et évoluer au fur et à mesure des besoins du bébé. Le père participe aussi aux soins et instaure un dialogue privilégié avec son enfant. Il le fait différemment; un bain, par exemple, donné par la maman ou le papa est vécu différemment par le bébé. D'autres acteurs interviendront au cours du temps, les grands-parents, la nourrice, les nounous de la crèche.

Notre bébé peut ainsi s'adapter progressivement à son environnement et l'explorer dans la sérénité. Il est curieux, attiré par la nouveauté, avide de découvrir le monde, les visages qui l'entourent.

Entre base de confiance et besoin d'exploration

Un va-et-vient s'établit entre le besoin de retrouver sa base de confiance et le besoin d'exploration, d'apprentissage. Il existe un couplage dynamique entre comportements d'attachement et d'exploration : quand l'un est activé, l'autre est désactivé. Parti en exploration, le bébé peut se retrouver dans des situations d'alarme, de frustration ou d'impuissance. Ces situations peuvent générer peur, colère, réactions émotionnelles qui éteignent le comportement exploratoire et réactivent le comportement d'attachement; le bébé recherche alors la proximité et le contact avec sa figure d'attachement pour retrouver sa base de sécurité. Quand il sait que sa base de sécurité existe et comment la trouver, qu'il obtient une réponse à ses pleurs, il peut donc reprendre le chemin de la découverte du monde et son comportement exploratoire se réactive. Ainsi la confiance du bébé dans la permanence et la disponibilité de sa figure d'attachement stimule ses capacités exploratoires, tout en le protégeant des dangers de l'environnement : avoir une base de sécurité constitue un tremplin pour lui permettre de surmonter les défis qu'il rencontre dans son environnement et développer son autonomie.

L'équilibre se fera progressivement entre ces deux pôles, chaque parent et chaque acteur y trouvant progressivement sa place. La mère trouve sa place «prioritaire» comme figure d'attachement principale et comme donneuse de soins durant les trois premiers mois ; le père et les autres acteurs familiaux et sociaux prendront une place progressivement plus importante ensuite. Mais d'autres modèles peuvent se substituer à ce modèle traditionnel, les circonstances de la vie pouvant bousculer ce schéma.

Les difficultés sur le chemin de l'attachement

De nombreuses embûches existent sur le chemin de l'attachement. Les obstacles peuvent venir de l'histoire des parents, de l'isolement, des circonstances de la grossesse, de complications lors de l'accouchement. La prématurité, les pathologies de la mère ou du bébé, la douleur, la nécessité d'un environnement technologique particulier peuvent être des entraves à l'établissement de l'attachement[15]. La principale barrière à l'attachement est *la séparation*. La proximité, la rencontre du premier regard, le premier peau à peau réparent souvent les blessures d'attachement. La magnifique plasticité cérébrale de l'humain est capable aussi de reporter, déplacer, corriger, refaçonner ce qui ne peut se faire physiologiquement en temps et en heure. L'entourage et les soignants sont là aussi pour accompagner les parents de leur affection et de leur soutien, avec empathie et confiance.

La prématurité : un attachement difficile
Quelles sont les difficultés ?

Analysons les entraves à l'attachement lors d'un accouchement prématuré. Tous les temps et les maillons sont altérés :

- La grossesse subitement interrompue ne permet pas, pour la mère, le temps d'une élaboration physique et psychique d'un bébé à terme.
- L'accouchement est le plus souvent mal vécu, traumatisant dans la brutalité de sa survenue.
- La première rencontre, le premier regard créant la véritable naissance de la mère et du bébé ne peuvent s'effectuer dès les premières heures et seront reportés.
- L'aspect physique du bébé est parfois loin d'être « attirant » au regard des parents : le bébé est tout petit, envahi de tuyaux, entouré de machines dans un environnement hostile.
- Le « *bonding* », ce lien affectif entre la mère et l'enfant inscrit biologiquement, est rompu : l'ocytocine, magnifique hormone favorisant l'attachement, n'a pas atteint les taux attendus, elle manque au rendez-vous de l'amour.

À la place, c'est un sentiment d'incompétence et d'insé-
curité qui inonde la mère.

- Le «*caregiving*», le fait de prendre soin du nouveau-né,
ne peut s'instaurer. Ce sont des puéricultrices hautement
compétentes qui prennent soin d'un bébé particulièrement
fragile à la place de la mère. Fini les contacts étroits avec
les cinq sens, adieu «le *holding* et le *handling*», qui constituaient les pierres de l'édifice de l'attachement.

Vous, la maman blessée, avez le sentiment d'avoir échoué
à protéger votre enfant, vous ressentez une impuissance,
une incompétence. Face à ces ressentis, vous pouvez réagir
schématiquement de deux façons :

- «Désactiver» votre propre attachement et vous mettre en
retrait par rapport à votre bébé en mettant de la distance
physique, en ne venant pas le voir ou si peu.
- Ou bien surcompenser ces manques en insistant sur la
présence, les questions à tous les soignants que vous
rencontrez, pouvant aller jusqu'à un véritable harcèlement
des soignants.

Nous rencontrons ces deux attitudes en néonatologie.

Comment créer le lien ?

Alors, comment faire pour encourager cette rencontre et
apaiser la souffrance ?

- D'abord et à tout prix, *favoriser la proximité*: rétablir le
lien physique entre maman et bébé, le plus tôt possible, le
plus longtemps possible et le plus complètement possible,
c'est-à-dire avec le peau à peau.
- Établir également un *lien empathique entre les parents et
l'équipe soignante*, créer une *alliance* pour que les parents, et

en particulier la mère, participent de plus en plus aux soins du nouveau-né pour retrouver le « *caregiving* », et, pour la maman, sa place de mère protectrice. La philosophie des soins centrés sur l'enfant et sa famille, prônée de plus en plus par les services de néonatologie, et la pratique des soins de développement amènent à une présence et une participation des parents de plus en plus importante dans les soins aux prématurés[16].

- *L'allaitement maternel* favorise le retour d'un sentiment de confiance en soi, de rôle protecteur pour son enfant, une participation active à la vie de son petit, une réactivation du circuit plaisir/récompense. L'allaitement facilite aussi davantage la pratique du peau à peau et une intimité corporelle plus intense avec son bébé.

Dans tous les cas, le plus important et le plus urgent est de *tout faire pour éviter la séparation du bébé et de ses parents.* Les heures qui suivent la naissance sont particulièrement propices au développement chez les parents d'un « sentiment amoureux ». C'est pourquoi les services de néonatologie s'orientent de plus en plus vers la pratique du peau à peau et la participation des parents aux soins du bébé le plus tôt possible afin de procurer ce socle de sécurité, de confiance sur lequel l'enfant pourra s'appuyer tout au long de sa vie.

J'ai pris l'exemple de la prématurité comme obstacle à l'attachement. Il en existe bien d'autres sur le chemin des parents, en particulier des mères. Que leur entourage y soit attentif afin de les aider sur cette route parfois difficile. Des soignants sont présents pour les accompagner et les soutenir.

Conclusion

Vous avez découvert les immenses compétences de votre nouveau-né, ses capacités d'adaptation extraordinaires au nouveau monde dans lequel il entre, son talent magnifique pour susciter l'attachement de ses parents, qui prendront soin de lui. Je vous ai transmis et fait partager, je l'espère, mon émerveillement pour la richesse des ressources qu'il déploie lors de sa naissance.

De votre côté, vous, parents, pères et mères, avez tout ce qu'il faut pour répondre aux appels multiples de ce nouveau petit être qui attend tout de vous. J'espère vous avoir redonné confiance dans votre pouvoir de recevoir les signaux que votre bébé vous envoie dès ses premiers instants de vie, et dans votre force pour faire émerger vos compétences, vos talents, vos richesses, inconnus de vous et non révélés jusqu'alors. J'espère qu'en reconnaissant mieux les appels que votre enfant vous lance avec tout son corps, toute sa sensorialité, vous lâcherez vos craintes, celles de ne pas être les parents parfaits que vous souhaiteriez être, mais simplement « suffisamment bons ». Nous tâtonnons toutes et tous sur ce chemin de la découverte du nouveau-né. Laissons-nous aller maintenant dans la confiance. Abandonnons la recherche du « savoir-faire » pour entrer dans le « savoir-être », dans le monde toujours mystérieux et merveilleux du nouveau-né, un monde plein de promesses.

Notes

CHAPITRE 1. NAISSANCE

1. P. Cesbron, Y. Knibiehler, *La Naissance en Occident*, Albin Michel, 2004.

2. Y. Knibiehler, *La Révolution maternelle. Femmes, maternité, citoyenneté depuis 1945*, Perrin, 1997 ; Y. Knibiehler, *Histoire des mères et de la maternité en Occident*, PUF, « Que sais-je ? », 2000.

3. S. Walentowitz, « Importance et signification des rituels d'intégration en pays touareg », *in* M.-F. Morel (dir.), *Accueillir le nouveau-né, d'hier à aujourd'hui*, Érès, 2013, p. 242.

4. *Ibid.*, p. 250.

5. G. Delaisi de Parseval, S. Lallemand, *L'Art d'accommoder les bébés. 100 ans de recettes françaises de puériculture*, Seuil, 1980.

6. F. Lamaze, https://francearchives.fr/commemo/recueil-2002/40009.

7. Voir les photographies du livre de F. Leboyer, *Pour une naissance sans violence*, Seuil, 1974.

8. C. Lemay, *La Mise au monde. Revisiter les savoirs*, Les Presses de l'université de Montréal, 2017. Voir aussi la présentation de Céline Lemay sur YouTube (www.youtube.com/watch?v=2_uUAW_jTJA).

9. M.-H. Lahaye, *Accouchement, les femmes méritent mieux*, Michalon, 2018.

10. A. M. Widström, G. Lilja, P. Aaltomaa-Michalias, A. Dahllöf, M. Lintula, E. Nissen, « Newborn behaviour to locate the breast when skin-to-skin : a possible method for enabling early self-regulation », *Acta Paediatrica*, janv. 2011, n° 100, p. 79-85.

11. D. W. Winnicott, *La Nature humaine*, Gallimard, 1990, p. 137.

12. A. N. Meltzoff, M. K. Moore, « Imitation et développement humain : les premiers temps de la vie », *Terrain*, n° 44, mars 2005.

13. M. H. Klaus, P. H. Klaus, *La Magie du nouveau-né*, Albin Michel, 2000.

14. M. Pillot, « Le regard du naissant », *Spirale*, Érès, n° 37, 2006, p. 79-96.

15. P. Rousseau, « Les premières expressions du visage du bébé à la naissance », colloque « La fabrique du visage », Amiens, 19-20 octobre 2000 ; « Les premiers regards du nouveau-né : l'attachement précoce », *in* M.-F. Morel, *Accueillir le nouveau-né, d'hier à aujourd'hui, op. cit.*, p. 155.

16. J.-M. Delassus, *Devenir mère. La naissance d'un amour*, Dunod, 1998.

17. Y. Knibiehler (dir.), *Accoucher. Femmes, sages-femmes et médecins depuis le milieu du XXe siècle*, ENSP, 2007.

CHAPITRE 2. LES FABULEUSES CAPACITÉS D'ADAPTATION DU NOUVEAU-NÉ

1. Société française de néonatologie, F. Godde, (coord.), *Réanimation du nouveau-né en salle de naissance*, Sauramps Médical, 2e éd., 2017.

2. O. Dicky, V. Ehlinger, B. Guyard-Boileau, C. Assouline, C. Arnaud, C. Casper, « Clampage tardif du cordon ombilical chez les enfants prématurés nés avant 37 semaines d'aménorrhée : étude observationnelle prospective », *Archives de pédiatrie*, vol. 24, n° 2, 2017, p. 118-125.

3. P. Tourneux, J.-P. Libert, L. Ghyselen, A. Léké, S. Delanaud, L. Dégrugilliers, V. Bach, « Échanges thermiques et thermorégulation chez le nouveau-né », *Archives de pédiatrie*, vol. 16, n° 7, 2009, p. 1057-1062.

4. E. R. Moore, G. C. Anderson, N. Bergman, T. Dowswell, « Early skin-to-skin contact for mothers and their healthy newborn infants », Cochrane Library, Wiley, 2012.

5. M. W. Platt, S. Deshpande, « Metabolic adaptation at birth », *Seminars in Fetal and Neonatal Medicine*, vol. 10, n° 4, août 2005, p. 341-350 ; D. Mitanchez, « Ontogenèse de la régulation glycémique et conséquences pour la prise en charge du nouveau-né », *Archives de pédiatrie*, vol. 15, n° 1, 2008, p. 64-74.

6. J.-P. Langhendries, « Colonisation bactérienne de l'intestin dans l'enfance : pourquoi y accorder autant d'importance ? », *Archives de pédiatrie*, vol. 13, n° 12, déc. 2006, p. 1526-1534.

7. G. Enders, *Le Charme discret de l'intestin*, Actes Sud, 2015.

8. L'initiative Hôpitaux amis des bébés : www.unicef.org/french/nutrition/index_24806.html. L'association Ihab France, présentation : amis-des-bebes.fr/qui-sommes-nous.php ; M. C. Marchand., M. Pillot, K. Löfgren,

«Initiative hôpital ami des bébés : une démarche de qualité actuelle et méconnue», *Médecine & enfance*, vol. 26, n° 10, 2006, p. 585-589.

CHAPITRE 3. LES BESOINS LES PLUS PRÉCIEUX DU NOUVEAU-NÉ : SÉCURITÉ ET BIEN-ÊTRE

1. S. Rosenberg-Reiner, «La législation, les textes, la "Charte de l'enfant hospitalisé" en France et dans d'autres pays européens», colloque «Parents d'enfants hospitalisés : visiteurs ou partenaires ?», association Sparadrap, 5 octobre 2004.

2. L. Girard, «Mettre en œuvre le peau à peau en sécurité», *Les Dossiers de l'obstétrique*, n° 446, mars 2015.

3. O. Fresco, *Entendre la douleur du nouveau-né. Aux confins de l'oubli*, Belin, 2004.

4. G. Esposito, P. Setoh, S. Yoshida, K. O. Kuroda, «The calming effect of maternal carrying in different mammalian species» (L'effet calmant du portage maternel chez différentes espèces de mammifères), *Frontiers in Psychology*, vol. 16, n° 6, avril 2015.

5. P. Kuhn *et al.*, «Ontogenèse de la reconnaissance de la voix maternelle par le nouveau-né grand prématuré avant le terme normal de la grossesse : une histoire de cœur», Journées francophones de recherche en néonatologie, Paris, 13 et 14 décembre 2012.

6. N. Bergman, «Le portage kangourou», texte de la conférence lors de la 6e Journée internationale de l'allaitement, 18 mars 2005, *Dossiers de l'allaitement*, hors série, 2005.

7. S. Goldstein Ferber, I. R. Makhoul, «The effect of skin-to-skin contact (kangaroo care) shortly after birth on the neurobehavioral responses of the term newborn : a randomized, controlled trial», *Pediatrics*, vol. 113, n° 4, avril 2004, p. 858-865.

CHAPITRE 4. BÉBÉ NOUS PARLE... SANS LES MOTS

1. T. B. Brazelton, J. K. Nugent, *Échelle de Brazelton. Évaluation du comportement néonatal*, Médecine & Hygiène, 2001.

2. H. Als *et al.*, «Toward a research instrument for the assessment of preterm infants' behavior (APIB)», in *Theory and Research in Behavioral Pediatrics*, Plenum Press, vol. 1, 1982, p. 35-132.

3. R. Feldman, «On the origins of background emotions: from affect synchrony to symbolic expression», *Emotion*, vol. 7, n° 3, août 2007, p. 601-611.

4. M. Companys, N. Bouhier-Charles, *Signe avec moi. La langue gestuelle des sourds à la portée de tous les bébés*, Monica Companys, 2006.

CHAPITRE 5. LES PLEURS DES NOUVEAU-NÉS

1. O. Fresco, *Entendre la douleur du nouveau-né, op. cit.*

2. T. Griffin, J. Celenza, *Family-Centered Care for the Newborn*, Springer Publishing, 2014; C. R. Phillips, *Family-Centered Maternity Care*, Jones and Bartlett Publishers, 2003.

3. Il existe une équipe extraordinaire à l'hôpital Trousseau à Paris qui s'est consacrée à l'étude et à la prévention de la douleur chez l'enfant: l'association Sparadrap (www.sparadrap.org). Allez voir leur site plein de richesse, d'humanité et de conseils pratiques. Si votre enfant doit être hospitalisé ou doit subir une intervention, il vous apportera des renseignements et des outils extrêmement précieux. L'un d'eux est une vidéo sur le peau à peau qui complète le livret déjà édité sur ce thème.

4. P. Dunstan, *Il pleure, que dit-il? Décoder enfin le langage caché des bébés*, JC Lattès, 2016.

CHAPITRE 6. LA SENSORIALITÉ DU NOUVEAU-NÉ

1. B. Schaal, «La cognition olfactive du nouveau-né et du nourrisson», 24 janvier 2012, www.college-de-france.fr/site/stanislas-dehaene/seminar-2012-01-24-11 h00.htm.

2. M.-C. Busnel, «Fœtus et nouveau-né: réaction à la voix maternelle», *in* R. Frydman, M. Szejer (dir.), *Le Bébé dans tous ses états*, Odile Jacob, 1998, p. 137-153.

CHAPITRE 7. LE SOMMEIL ET LES RYTHMES DU BÉBÉ

1. H. F. R. Prechtl, « The behavioural states of the newborn infant », *Brain Research*, vol. 76, n° 2, 1974, p. 185-212.

2. M.-J. Challamel, *Le Sommeil de l'enfant*, Masson, 2009.

3. T. B. Brazelton, J. K. Nugent, *Échelle de Brazelton. Évaluation du comportement néonatal, op. cit.*

4. A. N. Meltzoff, M. K. Moore, « Imitation of facial and manual gestures by human neonates », *Science*, vol. 198, n° 4312, oct. 1977, p. 75-78.

5. A. Hörnell, C. Aarts, E. Kylberg, Y. Hofvander, M. Gebre-Medhin, « Breastfeeding patterns in exclusively breastfed infants : a longitudinal prospective study in Uppsala, Sweden », *Acta Pædiatrica*, vol. 88, n° 2, fév. 1999, p. 203-211.

6. Agence de la santé publique du Canada, brochure « Sommeil sécuritaire pour votre bébé » (http://www.phac-aspc.gc.ca/hp-ps/dca-dea/stages-etapes/childhood-enfance_0-2/sids/pdf/sleep-sommeil-fra.pdf).

7. Unicef Royaume-Uni, brochure « Caring for your baby at night. A guide for parents » (https://www.unicef.org.uk/babyfriendly/wp-content/uploads/sites/2/2011/11/Caring-for-your-baby-at-night-web.pdf).

8. Académie américaine de pédiatrie, rapport « SIDS and other sleep-related infant deaths : evidence base for 2016, updated recommendations for a safe infant sleeping environment » (http://pediatrics.aappublications.org/content/pediatrics/138/5/e20162940.full.pdf).

9. D. M. Tappin, R. Ecob, H. Brooke, « Bedsharing, roomsharing, and sudden infant death syndrome in Scotland : a case-control study », *The Journal of Pediatrics*, vol. 147, n° 1, 2005, p. 32-37 ; R. Carpenter, C. McGarvey, E. A. Mitchell *et al.*, « Bed sharing when parents do not smoke : is there a risk of SIDS ? An individual level analysis of five major case-control studies », BMJ Open, vol. 3, n° 5, 2013.

10. M. M. Vennemann, T. Bajanowski *et al.*, « Does breastfeeding reduce the risk of sudden infant death syndrome ? », *Pediatrics*, vol. 123, n° 3, 2009.

11. P. S. Blair, P. Sidebotham *et al.*, « Bed-sharing in the absence of hazardous circumstances : is there a risk of sudden infant death syndrome ? An analysis from two case-control studies conducted in the UK », PLOS One, 2014.

12. Institut de veille sanitaire, « Les morts inattendues des nourrissons de moins de 2 ans », enquête nationale, 2007-2009.

13. H. Patural, I. Harrewijn, A. Cavalier, K. Levieux, C. Farges, C. Gras Leguen, B. Kugener, A.-P. Michard-Lenoir, E. Briand-Huchet, J.-C. Picaud et l'Association nationale des centres référents pour la mort inattendue du nourrisson, « Désinformation concernant le couchage des nourrissons et la plagiocéphalie », *Archives de pédiatrie*, vol. 24, n° 11, nov. 2017, p. 1057-1059.

14. J. D. Colvin, V. Collie-Akers, C. Schunn, R. Y. Moon, « Sleep Environment Risks for Younger and Older Infants », *Pediatrics*, vol. 34, n° 2, 2014 (http://pediatrics.aappublications.org/content/134/2/e406).

15. *Ibid.*

CHAPITRE 8. LE BAIN

1. C. Rollet, M.-F. Morel, *Des bébés et des hommes. Traditions et modernité des soins aux tout-petits*, Albin Michel, 2000, p. 64 et suiv.

2. B. Fontanel, C. d'Harcourt, *Bébés du monde*, La Martinière, 2009, p. 25 et suiv.

3. B. Fontanel, C. d'Harcourt, *L'Épopée des bébés*, La Martinière, 1999, p. 145 et suiv.

4 . P. Cesbron, Y. Knibiehler, *La Naissance en Occident*, *op. cit.*

5. G. Delaisi de Parseval, S. Lallemand, *L'Art d'accommoder les bébés*, *op. cit.*

6. C. Lund, « Bathing and Beyond : Current Bathing Controversies for Newborn Infants », *Advances in Neonatal Care*, vol. 16, n° 5, oct. 2016.

7. Sonia Krief Rochel nous montre un bain de nouveau-né dans une belle vidéo « Thalasso bain bébé » sur http://thalassobainbebe.com.

CHAPITRE 9. LE CHOIX DE L'ALLAITEMENT

1. L. Girard, « Communiquer autour de l'allaitement maternel en France », *Les Dossiers de l'obstétrique*, vol. 35, n° 377, déc. 2008.

2. D. W. Winnicott, *Le Bébé et sa mère*, Payot, 1992, p. 59.

3. D. Lett, M.-F. Morel, *Une histoire de l'allaitement*, La Martinière, 2006.

4. É. Badinter, *L'Amour en plus. Histoire de l'amour maternel, XVIIe-XXe siècle*, Flammarion, 1980.

5. Crat: https://lecrat.fr.

6. G. Enders, *Le Charme discret de l'intestin, op. cit.*

7. Programme national nutrition-santé, « Allaitement maternel. Les bénéfices pour la santé de l'enfant et de sa mère », ministère des Solidarités, de la Santé et de la Famille, http://solidarites-sante.gouv.fr/IMG/pdf/allaitement.pdf; Agence nationale d'accréditation et d'évaluation en santé (Anaes), « Allaitement maternel. Mise en œuvre et poursuite dans les 6 premiers mois de vie de l'enfant », mai 2002, https://www.has-sante.fr/portail/upload/docs/application/pdf/Allaitement_rap.pdf; Institut national de prévention et d'éducation pour la santé, « Grossesse et accueil de l'enfant. Comment accompagner les choix des couples autour de la grossesse et favoriser leur accès à la parentalité ? », mai 2010, http://inpes.santepubliquefrance.fr/CFESBases/catalogue/detaildoc.asp?numfiche=1310; OMS, 54e Assemblée mondiale de la santé, « La nutrition chez le nourrisson et le jeune enfant », WHA 54.2, 18 mai 2001.

8. G. Gremmo-Feger, « Allaitement maternel: quoi de neuf ? », *Revue de médecine périnatale*, vol. 8, n° 4, 2016, p. 213-220.

9. J.-P. Langhendries, « Colonisation bactérienne de l'intestin dans l'enfance: pourquoi y accorder autant d'importance ? », *op. cit.*

CHAPITRE 10. LA LACTATION: COMMENT ÇA MARCHE ?

1. D. T. Ramsay, J. C. Kent, R. A. Hartmann et P. E. Hartmann, « Anatomy of the lactating human breast redefined with ultrasound imaging », *Journal of Anatomy*, vol. 206, n° 6, juin 2005, p. 525-534.

2. G. Gremmo-Féger, « Actualisation des connaissances concernant la physiologie de l'allaitement », *Archives de pédiatrie*, vol. 20, n° 9, sept. 2013, p. 1016-1021.

3. Voir www.solidarilait.org et www.lllfrance.org.

CHAPITRE 11. LA CROISSANCE DE BÉBÉ

1. L. Girard, « Les pratiques obstétricales ont-elles un impact sur la perte de poids du nouveau-né ? », *Les Dossiers de l'obstétrique*, n° 450, juil. 2015.

2. HAS, « Sortie de maternité après accouchement : conditions et organisation du retour à domicile des mères et de leurs nouveau-nés », mars 2014 ; Inpes, ministère de la Santé, « Grossesse et accueil de l'enfant », fiche action n° 14, « L'allaitement maternel », http://inpes.santepubliquefrance.fr/CFESBases/catalogue/pdf/1310-3n.pdf.

3. OMS, « Normes de croissance de l'enfant », http://www.who.int/childgrowth/fr.

4. C. Bois, J. Servolin, G. Guillemot, « Usage comparé des courbes de l'Organisation mondiale de la santé et des courbes françaises dans le suivi de la croissance pondérale des jeunes nourrissons », *Archives de pédiatrie*, vol. 17, n° 7, juil. 2010, p. 1035-1041.

5. P. Scherdel *et al.*, « Should the WHO Growth Charts Be Used in France ? », PLOS One, 11 mars 2015 ; commentaires de la publication de P. Scherdel *et al.* sur le site de l'Inserm : www.inserm.fr/actualites/rubriques/actualites-recherche/faut-il-changer-les-courbes-de-croissance-des-enfants.

CHAPITRE 12. LE PRÉMATURÉ OU COMMENT POURSUIVRE LA GROSSESSE À CIEL OUVERT

1. F. Lejeune, É. Gentaz, *L'Enfant prématuré. Développement neurocognitif et affectif*, Odile Jacob, 2015.

2. J. Sizun *et al.*, *Soins de développement en période néonatale. De la recherche à la pratique*, Springer, 2014.

3. T. B. Brazelton, J. K. Nugent, *Échelle de Brazelton. Évaluation du comportement néonatal, op. cit.*

4. Épipage 2, Étude épidémiologique sur les petits âges gestationnels, étude nationale pour mieux connaître le devenir des enfants prématurés, Inserm, 2017.

5. B. Lavollay, « L 'établissement du lien mère-enfant après séparation précoce. Expérience d'un service de néonatologie », *Neuropsychiatrie de l'enfance et de l'adolescence*, vol. 30, n°s 4-5, 1982, p. 241-245.

6 . B. Golse, S. Gosme-Seguret, M. Mokhtari, avec la collaboration de M. Bloch, *Bébés en réanimation. Naitre et renaître*, Odile Jacob, 2001.

7. Association SOS Préma, www.sosprema.com.

8. T. Griffin, J. Celenza, *Family-Centered Care for the Newborn*, *op. cit.*

9. C. R. Phillips, *Family-Centered Maternity Care*, *op. cit.*

10. OMS, « La méthode "mères kangourous". Guide pratique », 2004, http://apps.who.int/iris/bitstream/10665/43099/1/9242590355.pdf.

11. N. Charpak, *Bébés kangourous. Materner autrement*, Odile Jacob, 2005.

12. I. Petit, C. Grattepanche, « Accompagner la progression du bébé prématuré au sein grâce à la "fleur de lait" », *Soins Pédiatrie/Puériculture*, vol. 336, n° 268, 2012, p. 44-46.

CHAPITRE 13. LES PÈRES

1. L. Girard, « Le père… que peut-il nous apprendre ? », *Les Dossiers de l'obstétrique*, n° 371, mai 2008, p. 21-27.

2. S. de Beauvoir, *Le Deuxième Sexe*, Gallimard, 1949.

3. É. Badinter, *Le Conflit : la femme et la mère*, Flammarion, 2010.

4. F. Héritier, *Masculin/Féminin. 1. La pensée de la différence*, Odile Jacob, 1996.

5. G. Delaisi de Parseval, *La Part du père*, Seuil, 1981.

6. I. Bayot, *Le Quatrième Trimestre de la grossesse*, Érès, 2018.

CHAPITRE 14. L'ATTACHEMENT

1. J. Bowlby, *Attachement et perte. 1. L'Attachement*, PUF, 5e éd., 2002 ; *Le lien, la psychanalyse et l'art d'être parent*, Albin Michel, 2011.

2. F. Ansermet, P. Magistretti, *À chacun son cerveau*, Odile Jacob, 2004 ; H. Lagercrantz, *Le Cerveau de l'enfant*, Odile Jacob, 2008.

3. A. Freud, *Infants without families and reports on the Hampstead Nurseries, 1939-1945*, Hogarth, 1974.

4. R. A. Spitz, « Hospitalism. An inquiry into the genesis of psychiatric conditions in early childhood », *The Psychoanalytic Study of the Child*, vol. 1, 1945, p. 53-74.

5. A. N. Meltzoff, M. K. Moore, « Imitation of facial and manual gestures by human neonates », *Science*, vol. 198, n° 4312, 1977, p. 75-78 ; « Imitation et développement humain : les premiers temps de la vie », *Terrain*, n° 44, p. 71-90, mars 2005.

6. H. F. Harlow, « The nature of love », *American Psychologist*, vol. 13, 1958, p. 673-685 ; « Food or security ? Harlow's study on monkeys' attachment », www.youtube.com/watch?v=-Qi7txH1KzY.

7. D. W. Winnicott, *La mère suffisamment bonne*, Payot, 2006, p. 39-40.

8. D. W. Winnicott, *Le Bébé et sa mère, op. cit.*, p. 19 et suiv. ; *De la pédiatrie à la psychanalyse*, Payot, 1969.

9. D. W. Winnicott, *Le Bébé et sa mère, op. cit.*, p. 39.

10. T. B. Brazelton, J. K. Nugent, *Échelle de Brazelton. Évaluation du comportement néonatal, op. cit.*

11. F. Cheng, *De l'âme*, Albin Michel, 2016.

12. P.-A. Chadeyron, *Petite fantasmagorie pour une femme enceinte*, Casterman, 1971.

13. P. Rousseau, « Les premiers regards du nouveau-né : l'attachement précoce », *in* M.-F. Morel, *Accueillir le nouveau-né, d'hier à aujourd'hui, op. cit.*, p. 155-183.

14. M. Pilliot, « Le regard du naissant », *op. cit.*

15. W. Lahouel-Zaier, « Impact de l'hospitalisation périnatale sur l'établissement du lien d'attachement entre le bébé et sa mère », *Devenir*, Médecine & Hygiène, vol. 29, janv. 2017, p. 27-44.

16. C. Casper *et al.*, « Perception des parents de leur participation aux soins de leur enfant dans les unités de néonatologie en France », *Archives de pédiatrie*, vol. 23, n° 9, 2016, p. 974-982.

Bibliographie

Amiel-Tison, C., *Neurologie périnatale*, Masson, 1999.

Ansermet, F., Magistretti, P., *À chacun son cerveau*, Odile Jacob, 2004.

Ariès, Ph., *L'Enfant et la vie familiale sous l'Ancien Régime*, Seuil, 1973.

Badinter, É., *L'Amour en plus. Histoire de l'amour maternel, XVIIe-XXe siècle*, Flammarion, 1980.

Badinter, É., *Le Conflit : la femme et la mère*, Flammarion, 2010.

Balzac, H. de, *Mémoires de deux jeunes mariées*, GF Flammarion, 1979.

Bayot, I., Le Quatrième Trimestre de la grossesse, Eres, 2018.

Bear, M. F., Connors, B. W., Paradiso, M. A., *Neurosciences, à la découverte du cerveau*, Pradel, 1997.

Beaudry, M. *et al.*, *Biologie de l'allaitement : le sein, le lait, le geste*, Presses de l'Université du Québec, 2006.

Beauvoir, S. de, *Le Deuxième Sexe*, Gallimard, 1949.

Becchi, E., Julia, D., *Histoire de l'enfance en Occident. 1. De l'Antiquité au XVIIe siècle. 2. Du XVIIIe siècle à nos jours*, Seuil, 1998.

Benozio, M., Beugnot, C. *et al.*, *La « machine » de madame du Coudray ou l'Art des accouchements au XVIIIe siècle*, Musée Flaubert et d'histoire de la médecine, Rouen – Éditions Point de vues, 2004.

Birman, Ch., *Au monde*, La Martinière, 2003.

Bowlby, J., *Attachement et perte. 1. L'Attachement*, PUF, 5e éd., 2002.

Bowlby, J., *Le lien, la psychanalyse et l'art d'être parent*, Albin Michel, 2011.

Brazelton, T. B., Nugent, J. K., *Échelle de Brazelton. Évaluation du comportement néonatal*, Médecine & Hygiène, 2001.

Brisset, C., Hiên, L. D., *Enfance, enfances*, Comité français pour l'Unicef, Éditions Liana Levi, 1999.

Busnel, M.-C., « Fœtus et nouveau-né : réaction à la voix maternelle », *in* R. Frydman, M. Szejer (dir.), *Le Bébé dans tous ses états*, Odile Jacob, 1998.

Bydlowski, M., *La Dette de vie*, PUF, 2008.

Castelain-Meunier, Ch., *La Paternité*, PUF, 1997.

Cesbron, P., Knibiehler, Y., *La Naissance en Occident*, Albin Michel, 2004.

Challamel, M.-J., *Le Sommeil de l'enfant*, Masson, 2009.

Chadeyron, P.-A., *Petite fantasmagorie pour une femme enceinte*, Casterman, 1971.

Charpak, N., *Bébés kangourous. Materner autrement*, Odile Jacob, 2005.

Cheng, F., *De l'âme*, Albin Michel, 2016.

Cloitre, V., *Femmes du monde. Mères du nouveau monde*, Dangles Éditions, 2014.

Companys, M., Bouhier-Charles, N., *Signe avec moi : la langue gestuelle des sourds à la portée de tous les bébés*, Monica Companys, 2006.

Coulon, G., « Les nourrices », in *Maternité et petite enfance dans l'Antiquité romaine*, catalogue de l'exposition, Bourges, Service d'archéologie municipale, Édition de la ville de Bourges, 2003.

Cyrulnik, B., *Un merveilleux malheur*, Odile Jacob, 1999.

Cyrulnik, B., *Sous le signe du lien*, Fayard, 2010.

Delahaye, M.-C., *Tétons et tétines. Histoire de l'allaitement*, Trame Way, 1990.

Delaisi de Parseval, G., Lallemand S., *L'Art d'accommoder les bébés*, Seuil, 1980.

Delaisi de Parseval, G., *La Part du père*, Seuil, 1981.

Delaisi de Parseval, G., *La Part de la mère*, Odile Jacob, 1997.

Delassus, J.-M., *Le Génie du fœtus. Vie prénatale et origine de l'homme*, Dunod, 2001.

Delassus, J.-M., *Devenir mère : naissance d'un amour*, Dunod, 1998.

Dolto, F., *Psychanalyse et pédiatrie*, Seuil, 1971.

Dolto, F., *Lorsque l'enfant paraît*, Seuil, 1977.

Dolto, F., *L'Image inconsciente du corps*, Seuil, 1984.

Dunstan, P., *Il pleure, que dit-il ? Décoder enfin le langage caché des bébés*, JC Lattès, 2016.

Enders, G., *Le Charme discret de l'intestin*, Actes Sud, 2015.

Fontanel, B., d'Harcourt, C., *Bébés du monde*, La Martinière, 1998.

Fontanel, B., d'Harcourt, C., *L'Épopée des bébés*, La Martinière, 1996.

Fresco, O., *Entendre la douleur du nouveau-né. Aux confins de l'oubli*, Belin, 2004.

Frydman, R., *Dieu, la médecine et l'embryon*, Odile Jacob, 1997.

Frydman, R., Papiernik, É., Crémière, C., Fischer, J.-L., *Avant la naissance, 5000 ans d'images*, Conti/Éditions du Muséum d'histoire naturelle du Havre, 2009.

Gamelin-Lavois, S., Herzog-Evans, M., *Les Droits des mères. La grossesse et l'accouchement*, L'Harmattan, 2003.

Gamelin-Lavois, S., Herzog-Evans, M., *Les Droits des mères. Les premiers mois*, L'Harmattan, 2003.

Goleman, D., *L'Intelligence émotionnelle*, Robert Laffont, 1997.

Golse, B., *Bébés en réanimation. Naître et renaître*, Odile Jacob, 2001.

Gopnik, A., *Le Bébé philosophe*, Le Pommier, 2010.

Grenier, A., *La Motricité libérée du nouveau-né*, Médecine et Enfance, 2000.

Griffin, T., Celenza, J., *Family-Centered Care for the Newborn*, Springer Publishing, 2014.

Guédeney, N., Guédeney, A., *L'Attachement. Approche théorique*, Masson, 2009.

Guédeney, N., Guédeney, A., *L'Attachement. Approche clinique*, Masson, 2010.

Gueguen, C., *Vivre heureux avec son enfant*, Robert Laffont, 2015.

Héritier, F., *Masculin/Féminin. 1. La pensée de la différence*, Odile Jacob, 1996.

Hesse, H., *Narcisse et Goldmund*, Calmann-Lévy, 1948.

Hrdy Blaffer, S., *Les Instincts maternels*, Payot, 2002.

Hrdy Blaffer, S., *Comment nous sommes devenus humains. Les origines de l'empathie*, Éditions L'Instant Présent, 2016.

Jackson, D., *La Sagesse des mères. Secrets traditionnels de la grossesse, de la naissance et de la maternité*, Seuil, 2000.

Kammerer, B., Johais, A., *Comment éviter de se fâcher avec la Terre entière en devenant parent ? La parentalité en 9 questions qui divisent*, Belin, 2017.

Klaus, M. H., *La Magie du nouveau-né*, Albin Michel, 2000.

Knibiehler, Y., *La Révolution maternelle*, Perrin, 1997.

Knibiehler, Y., *Histoire des mères et de la maternité en Occident*, PUF, 2000.

Knibiehler, Y., *Accoucher : femmes, sages-femmes et médecins depuis le milieu du XXe siècle*, ENSP, 2007.

Lagercrantz, H., *Le Cerveau de l'enfant*, Odile Jacob, 2008.

Lahaye, M.-H., *Accouchement, les femmes méritent mieux*, Michalon, 2018.

Leboyer, F., *Pour une naissance sans violence*, Seuil, 1974.

Lejeune, F., Gentaz, É., *L'Enfant prématuré. Développement neurocognitif et affectif*, Odile Jacob, 2015.

Lemay, C., *La Mise au monde. Revisiter les savoirs*, Les Presses de l'Université de Montréal, 2017.

Lett, D., Morel, M.-F., *Une histoire de l'allaitement*, La Martinière, 2006.

Linder, M.-D., Maupas, C., *L'Allaitement de mon enfant*, Hachette, 1996.

Lortholary, I. (dir.), *Naissances, récits*, L'Iconoclaste, 2005.

Maman Blues, *Tremblements de mères*, Éditions L'Instant Présent, 2010.

Marcé, L.-V., *Traité de la folie des femmes enceintes : des nouvelles accouchées et des nourrices*, L'Harmattan, 2002.

Mazurier, E., Christol, M., *Allaitement maternel. Précis de pratique clinique*, Sauramps, 2010.

Mehler, J., Dupoux, E., *Naître humain*, Odile Jacob, 2002.

Montagner, H., Stevens, Y., *L'Attachement, des liens pour grandir plus libre*, L'Harmattan, 2003.

Morel, M.-F., *Accueillir le nouveau-né, d'hier à aujourd'hui*, Érès, 2013.

Musée Marmottan Monet, *L'Art et l'Enfant*, Hazan-Musée Marmottan Monet, 2016.

Naouri, A., *Les Filles et leurs mères*, Odile Jacob, 1998.

Phillips, C. R., *Family-Centered Maternity Care*, Jones and Bartlett Publishers, 2003.

Rapoport, D., *La Bien-traitance envers les enfants. Des racines et des ailes*, Belin, 2006.

Ricard, M., *Plaidoyer pour l'altruisme. La force de la bienveillance*, NiL, 2013.

Rogers, C. R., *Le Développement de la personne*, Dunod-InterÉditions, 2005.

Rollet, C., Morel, M.-F., *Des bébés et des hommes*, Albin Michel, 2000.

Rousseau, P., « La naissance : partage d'émotions et de signaux entre le bébé et ses parents », *in* Dugnat M., *Les Émotions (autour du bébé)*, Érès, 2006.

Rousseau, J.-J., *Émile ou De l'éducation*, GF Flammarion, 2009.

Schaal, B. *et al.*, « Le rôle des odeurs dans la genèse de l'attachement mutuel entre la mère et l'enfant », *in* Herbinet, É., Busnel, M.-C., *L'Aube des sens*, Stock, 1981.

Sizun, J. *et al.*, *Soins de développement en période néonatale. De la recherche à la pratique*, Springer, 2014.

Société française de néonatologie, Godde, F. (coord.), *Réanimation du nouveau-né en salle de naissance*, Sauramps, 2ᵉ éd., 2017.

Soulé, M., Blin, D., *L'Allaitement maternel. Une dynamique à bien comprendre*, Érès, 2003.

Stern, D. N., Bruschweiler-Stern, N., *La Naissance d'une mère*, Odile Jacob, 1998.

Stern, D. N., *La Constellation maternelle*, Calmann-Lévy, 1997.

Thévenot, B., Naouri A., *Questions d'enfants*, Odile Jacob, 2001.

Vincent, J.-D., *Voyage extraordinaire au centre du cerveau*, Odile Jacob, 2007.

Winnicott, D. W., *De la pédiatrie à la psychanalyse*, Payot, 1969.

Winnicott, D. W., *La Nature humaine*, Gallimard, 1990.

Winnicott, D. W., *Le Bébé et sa mère*, Payot, 1992.

Winnicott, D. W., *L'Enfant et sa famille*, Payot, 1957.

Remerciements

À mes « maîtres » parisiens, qui m'ont particuliè-rement marquée durant mon parcours de pédiatre au cours de mon internat et de mon clinicat à Paris :

Alexandre Minkowski : service de réanimation néonatale, hôpital Port-Royal.

Gilbert Huault : service de réanimation, hôpital Saint-Vincent-de-Paul.

Jean Costil : service de réanimation, hôpital Trousseau.

Charles Bach : service de pédiatrie, hôpital Bicêtre.

Robert Laplane : service de pédiatrie, hôpital Trousseau.

Geraud Lasfargues : service de pédiatrie, hôpital Trousseau.

Philippe Reinert : service de pédiatrie, hôpital de Créteil.

Jean-Marie Delassus : service de maternologie, hôpital de Saint-Cyr-l'École.

À toute l'équipe de pédiatrie et de maternité de l'hôpital de Montereau, avec qui j'ai travaillé pendant plus de vingt ans.

À toute l'équipe de pédiatrie et de maternité de Melun, avec qui j'ai œuvré durant les sept dernières années de ma pratique hospitalière.

À toute l'équipe des formations Co-naître, qui m'a ouvert le chemin de la formation aux professionnels de la périnatalité et qui continue de m'accompagner sur cette voie depuis douze ans :

Geneviève, Laurence et Gisèle, les piliers ; Christilla, l'initiatrice.

Alice, Anne-Marie, Céline, Claude, Christine, Françoise, Ingrid, Laurence, Marie-Ange, Marie-Claude, Mariella, Michèle, Nicole, Sophie.

À toutes les équipes rencontrées au cours des formations dans les maternités, services de néonatologie et PMI suivants :

Agen, Alençon, Armentières, Bayonne, Blois, Cagnes-sur-Mer, Chaumont, Cholet, Clermont-de-l'Oise, Colmar, Compiègne, Créteil, Dijon, Évreux, Fontainebleau, Forbach, Fourmies, Gap, Gien, Gonesse, Grenoble, Haguenau, Laval, Lille, Marseille, Maubeuge, Melun, Metz, Mulhouse, Nantes, Niort, Paris (Bluets, Robert-Debré), Pau, Pithiviers, Poissy, Pontoise, Rennes, Saint-Flour, Saint-Lô, Saintes, Semur-en-Auxois, Thionville, Troyes, Tulle, Valenciennes, Vienne, Villefranche-de-Rouergue, Villefranche-sur-Saône.

Outre la découverte de notre beau pays, ces formations m'ont permis de rencontrer de magnifiques équipes qui souhaitent avancer dans la qualité de leur travail auprès des bébés et des parents dans la bienveillance.

Un immense merci à toutes ces équipes.

À mes amies si chères, qui m'ont aidée et soutenue dans ce projet :

Anne, Cécile, Claire, Isolde, Laurence, Maïté, Marie, Marie-Louise, Martine, Pia.

À Catherine et Gaëlle pour leur aide compétente et délicate, et sans qui ce travail n'aurait pu voir le jour.

Un immense merci aussi à tous les bébés et les parents qui m'ont apporté tant de richesse humaine et de bonheur !

Table

L'EXEMPLAIRE QUE VOUS TENEZ ENTRE LES MAINS
A ÉTÉ RENDU POSSIBLE GRÂCE AU TRAVAIL DE TOUTE UNE ÉQUIPE.

ÉDITION: Gaëlle Fontaine
COUVERTURE ET CONCEPTION GRAPHIQUE: Sara Deux
MISE EN PAGE: Soft Office
INFOGRAPHIES: Art Presse
RÉVISION: Nathalie Capiez et Laurent Raymond
FABRICATION: Maude Sapin

COMMERCIAL: Pierre Bottura
PRESSE/COMMUNICATION: Isabelle Mazzaschi,
Jérôme Lambert avec Adèle Hybre
RELATIONS LIBRAIRES: Marie Labonne et Jean-Baptiste Noailhat

DIFFUSION: Élise Lacaze (Rue Jacob diffusion), Katia Berry
(grand Sud-Est), François-Marie Bironneau (Nord et Est),
Charlotte Jeunesse (Paris et région parisienne),
Christelle Guilleminot (grand Sud-Ouest), Laure Sagot
(grand Ouest), Diane Maretheu (coordination)
et Charlotte Knibiehly (ventes directes),
avec Christine Lagarde (Pro Livre), Béatrice Cousin
et Laurence Demurger (équipe Enseignes), Fabienne Audinet
et Benoît Lemaire (LDS), Bernadette Gildemyn
et Richard Van Overbroeck (Belgique), Nathalie Laroche
et Alodie Auderset (Suisse) et Kimly Ear (Grand Export)

DISTRIBUTION: Hachette

DROITS FRANCE ET JURIDIQUE: Geoffroy Fauchier-Magnan
DROITS ÉTRANGERS: Sophie Langlais

ENVOIS AUX JOURNALISTES ET LIBRAIRES: Patrick Darchy
LIBRAIRIE DU 27 RUE JACOB: Laurence Zarra
ANIMATION DU 27 RUE JACOB: Perrine Daubas
COMPTABILITÉ ET DROITS D'AUTEUR: Christelle Lemonnier
avec Camille Breynaert
SERVICES GÉNÉRAUX: Isadora Monteiro Dos Reis
et Jean-Luc Ichiza-Imaho

Achevé d'imprimer en France
sur les presses de l'imprimerie Corlet
à Condé-sur-Noireau en mars 2018.

ISBN : 978-2-35204-743-8
N° d'impression : 196269
Dépôt légal : mai 2018